W9-CNS-879

David McNeil

QUELQUES
PAS DANS
LES PAS D'UN ANGE

GALLIMARD

Давид Мак-Нил

ПО СЛЕДАМ АНГЕЛА

Перевод с французского
Натальи Мавлевич

МОСКВА «ТЕКСТ» 2005

УДК 821.133.1
ББК 84(4Фра)
   М15

ISBN 5-7516-0469-5

Это короткая, слишком короткая книга.
Она рассказывает о немногих днях,
которые мне удалось провести с тем,
кого все называли Мэтром,
а я — просто папой...

Музей для медуз

В одиннадцать часов Огюст подъезжал к ресторану «Нептун» и загонял наш «пежо» на бетонную площадку. Только «Нептун» да еще «Могадор» не закрывались до глубокой осени. Мы проворно вытаскивали из сумки сандалии, циновки из рисовой соломки, полотенца с вензелем гостиницы в Монтрё и шли по берегу еще дальше, к безлюдному участку около канализационного стока, грязной полосой отделявшего нептунских посетителей от могадорских. Мадам говорила, что так оно лучше, не на виду, скромные места привлекают скромных людей, среди них безопаснее, не рыщут папарацци. Она делала вид, что избегает фотографов; в ту пору почти все они были итальянцами, так что однажды я видел, как она, услышав из ванной голос Марио Ланца по радио, машинально втянула живот. В конце концов, Мадам стала приписывать всем охотникам за кадрами дьявольское коварство

9

и видеть переодетых репортеров не только в итальянцах, но и в каждом охраннике на автостоянке, хозяине кафе, официанте, в каждом массажисте или пареньке из пляжного сервиса, выдающем напрокат шезлонги и зонтики за шесть франков в день, и это не говоря о прочем жулье: вымогателях чаевых и попрошайках вроде какого-нибудь очередного бедного родственника Джанго Рейнхардта*, который обходит с протянутой рукой кафе и рестораны, гнусаво выводя «Blue Moon». Посидеть за длинными столами, установленными в ряд вдоль всего бульвара, — ни в коем случае! — хотя они такие уютные, домашние, с кувшинами молодого вина на ярких скатерках. А чего стóят хорошенькие провансальские девушки, любезные отцовскому сердцу! Лигурийский ветерок раздувает юбки из перкаля, дешевого ситца, который отлично держит сборки и подчеркивает соблазнительные формы, однако носить такую юбку умеет только та, что родилась от стройной провансалки и сама выросла в Провансе. Нам буль-

---

* Рейнхардт Джанго — знаменитый джазовый гитарист и певец (1910—1953). (*Здесь и далее примеч. переводчика.*)

вар заказан — все из-за беспардонных журналистов. Чуть приоткрытые мидии, от которых шел пряный дух кориандра, венчиком выложенные на блюде барабульки с плавающими в шафранном соусе греночками, поджаренные хрусткие абалонии с пышными укропными султанами, похожими на шиньоны с плюмажем у манекенщиц Диора не то перед самой войной, не то сразу после (какая разница! укропу плевать на войну!), — все это не для нас. Впрочем, Мадам знала, что делала. Огюст, наш шофер — а вообще-то столяр от Бога — сделанные его руками светлые дубовые багеты вот уже шестьдесят лет путешествуют по миру, — так вот, Огюст любил свое шоферское дело, но еще больше он любил работать громоотводом. Ловкий, как хорек, юркий, как сардинка, он сновал из ресторана в ресторан, от бамбуковых ширм к цинковым стойкам, и увлекал за собой всю репортерскую свору, причем приманивал их больше, чем моденькая старлетка, только что снявшаяся в фильме «И Бог создал женщину», и обеспечивал материалом первые страницы чуть не всех иллюстрированных журналов. Мы же тем временем преспокойно ели тонкие ломтики дрянного арбуза — со скидкой, «три штуки по цене одной» — в дальнем конце рынка Ла-Коль-сюр-Лу, на выезде в Сен-Поль. Правда, корка морской соли стягивала мне кожу, и я страшно обгорал, ведь нас не прикрывал от солнца ни тент, ни даже зонтик, и только вода из Вельнев-Лубер, которую развозили в прикрученных к велосипедам бидонах, спасала нас от обезвоживания — любимая страшилка мороженщика, тоже обвиненного в принадлежности к желтой прессе, — зато, надо признать, ни один папараццо не совался к нам со своим объективом. Да будет благословен наш Огюст, всем Огюстам Огюст, рисковавший заработать цирроз, столько стаканов молодого вина, столько порций рагу, сардин, устриц, мидий и прочих вредных вещей он был вынужден поглощать... столько вкусных вещей, которые не достались нам.

В ту пору в Кань-сюр-Мер совсем не было народа, все предпочитали Антиб, Жуан-ле-Пен и Ла-Напуль, куда еще зимой на армейских грузовиках доставляли и разбрасывали тонким слоем по камням песок; так что в нашем распоряжении был весь общественный пляж, добрых пять километров обкатанной морем гальки, но я тогда еще в жизни своей не видал песка, если не считать песочниц в парке Бют-Шомон, поэтому ходить босиком по раскаленным камням было для меня райским блаженством. Прежде чем ступать на них, надо было смочить ноги в море — на нашем кусочке пляжа, между «Нептуном» и «Могадором», ровно там, куда, бурля пеной, выливались сточные воды из большого коллектора, у самого берега всегда было полно ила — отличное место для ловли креветок.

К «диким» туристам я, как и все тогда, в шестидесятые, относился с презрением. Боже мой, как мы были не правы! Снобы и обыватели называли их босяками, издевались над их домиками-прицепами и пластмассовыми столиками. Что ж, дети и внуки тех, кто любил спать в палатке, устыдились кочевого уклада, стали сооружать себе жилье «поосновательнее» и в итоге за какие-нибудь пару десятков лет изуродовали весь Лазурный берег. Палаточники съезжались в июле и разъезжались в августе, остальные десять месяцев в году на побережье никто не покушался. Сегодня же вся полоса от Марселя до Ментоны и особенно в районе Эстереля густо застроена; если смотреть с самолета, кажется, что внизу рассыпан огромный набор детских кубиков. Вот они, плоды снобизма!

Спору нет, плавала Мадам отлично, уверенным, стремительным брассом, и заплывать любила очень далеко. Мы смотрели ей вслед, пока пластмассовые ромашки на ее купальной шапочке не сливались с рябью волн, а потом, по правде сказать, о ней забывали. Я крутился около девчонок, которые играли тут же, на берегу, и корчили из себя взрослых барышень, а отец доставал из карманов коробки с масляной пастелью — такие палочки в бумажках, которые вечно чуть ли не сами собой ломаются посередине, пачкают пальцы и забиваются под ногти; повозишься с ними и на полгода пропитаешься восковым запахом. Пастельные колбаски проворно разукрашивали плоские гладкие морские камушки рыбками, птичками, осликами, сиренами, изящными женщинами, портретами того дядюшки, в честь которого меня назвали, и другого, скрипача, который обычно играл на крыше — не потому, что был таким оригиналом, просто игра его была ужасна, и ему только там, на крыше, позволяли брать в руки инструмент. Мадам меж тем продолжала плавать и каждый раз заплывала все дальше и дальше — я уж иной раз начинал прикидывать, что там находится, на противоположном берегу моря, напротив Крок-де-Кань: Карфаген? Тунис? — и останавливался на Бизерте. Вот мы сейчас скатаем циновки, соберем вещи и пойдем на автостоянку. Огюст спросит: «Мы не будем ждать мадам?» А папа ответит: «Мадам обедает в Бизерте, трогайте, едем домой...»

Хорошо бы на нее напала стая кашалотов или какой-нибудь жестокий перс продал ее в рабство, хорошо бы ее избили, изнасиловали, надругались над ней самым гнусным образом. Лежа на циновке из рисовой соломки, я придумывал для нее сначала какие-нибудь простенькие издевательства, потом штучки посерьезнее и, наконец, изощренные восточные пытки под душераздирающую ритуальную музыку племени гнава*: чтоб, например, ей протыкали ноздри и всовывали в них стручки жгучего перца, вроде того, как тутси всовыва-

---

* Марокканское племя, в ритуальной музыке которого используются барабаны, кастаньеты и флейта.

ют себе в носы косточки антилопы гну; чтоб ей орали прямо в уши стихи Валери голосом автора; чтоб ее истязали так страшно, что сами палачи, не выдержав, бросались вниз с верхушки самого высокого минарета и разбивались насмерть.

И тогда, только тогда пусть бы настал через жадных раков, точно таких же, как те, что копошатся у канализационного слива, их привлекло бы масло, которым она так любила смазывать свою грудь — нежнейшие купола с еле заметной сеточкой голубоватых мраморных прожилок, усыпанные веснушками, похожими скорее на разваристую гречку, чем на конопляные зернышки, конопушки, как называют пятнышки на коже у ирландок... впрочем, наша пловчиха была уроженкой юга России, а там из конопли разве что веревки делают, об ирландках же как-то ничего не слышно, не верите — перечитайте Толстого и убедитесь сами.

Прожорливые — хуже пираний — раки вопьются в трюфели ее сосков, большие, величиной с пятифранковик времен Поля Думера, темные, цвета матовой сиенской глины по краям и розоватые на конце; откромсают

16

клешнями сначала эти густо-карминные и блекло-розовые верхушки, окруженные пояском из еле заметных бугорочков, похожих по цвету на карамельки из лавочки на площади Массена. В тот раз, когда я мельком увидел все это в вырезе ее ночной рубашки — она читала при свете тусклой лампочки в купе пульмановского вагона Париж — Ницца, — я был слишком далеко, чтобы разглядеть и в точности описать все складочки и рубчики, которыми прожитые годы бороздят холмы и пригорки девушек, превратившихся в зрелых женщин, не причиняя им особой порчи.

Вслед за раками из клоаки пусть явятся полчища скользких кальмаров, легионы морских ежей-содомитов — о них говорится еще в «Одиссее» Гомера, — и в завершение всего сомы, так что от нее останется одна лишь купальная шапочка, которую волны вынесут на берег. Но Мадам умела плавать слишком хорошо. Она всегда возвращалась. И потому мы с папой запускали рикошетом по волнам все наши плоские камушки, пока она их не увидела, не превратила в пресс-папье и не пустила в распродажу на ближайшей книжной ярмарке. Не знаю, долго ли не смывается масляная пастель в воде, но каждый год со всего света в те места семьями сплываются медузы; туристы думают, что это им назло, ну а на самом деле — они посещают самый обширный в мире музей литографий, где хранятся рисунки на камне в полном смысле слова; мы, люди, ходим в Лувр и галерею Тейт, они же — в Музей для медуз, что расположен в бухте Крок-де-Кань, между «Нептуном» и «Могадором», и папа думает, что это хорошо.

Итальянские каштаны

В ту пору в Вансе оставалось еще немало итальянцев, приехавших в начале века с юга полуострова, в основном из самой бедной провинции — Калабрии. Казалось, они забыли о том, как добрую сотню их соплеменников уложили под стенами Эг-Морт в 1911 году*; то был, по сути, первый за всю историю Франции погром иноплеменников — все прежние кровавые события, вроде Варфоломеевской ночи, избиения катаров или вандейских шуанов, были, так сказать, внутрифранцузскими разборками. В Провансе, как и во всей стране, не хватало рук — война 1914 года не пощадила молодое поколение, — и эта дешевая рабочая сила пришлась как нельзя более кстати. Итальянцы разбивали теплицы

---

* Столкновения между французами и итальянцами на национальной почве произошли в городе Эг-Морт не в 1911-м, а в 1893 году, при этом погибло девять итальянцев.

21

и плодовые питомники, выращивали на продажу ранние овощи и цветы, осенью работали на сборе винограда, а зимой кололи дрова. Их худо-бедно терпели, и они, как говорят в фильмах с Жаном Габеном, жили себе и помалкивали — не так давно закончилась Вторая мировая, и еще не остыла память о том, как Ниццу захватили итальянские войска и как шумно их приветствовали соотечественники; что ж, Ницца — город Гарибальди.

Если то поколение жило и помалкивало, то следующее было гораздо смелее. Местных жителей, говоривших по-провансальски, а вернее, на ниццком диалекте, более отрывистом и менее певучем, молодые итальянцы не понимали и звали «кага-блеа», то есть «артишоковым дерьмом», за привычку добавлять во все подряд: в супы, запеканки, пышки, — дикие артишоки. Напротив, большинство провансальцев отлично говорили по-итальянски, но скорее сдохли бы, чем признались в этом. Я научился кое-как болтать по-провансальски у нашего садовника Мариано — он был до того похож на Фернанделя, что однажды снялся его дублером в каком-то фильме и прыгал вместо него с корабельной палубы в море, — говорил по-английски с матерью, по-русски с отцом, но не знал ни единого слова по-итальянски и потому не мог общаться с калабрийцами. А все мои ровесники были именно из таких семей, не считая одного поляка, который просто не смел при мне открыть рот — как я понял много позже, таков кодекс выживания эмигранта-чужака в среде эмигрантов-старожилов.

Меня могла бы научить наша кухарка Роза, уроженка Болоньи, но она вообще ни с кем не разговаривала — кроме как с кюре, в силу необходимости с хозяйкой да изредка с хозяином — с тех пор, как ее жених Антонен отбыл в Аддис-Абебу на завоевание Абиссинии, единственной африканской земли, на которую не позарились ни английские колонисты, ни безалаберные бельгийские миссионеры, ни даже немцы, при всех своих тогдашних агрессивных замашках. Один Муссолини пожелал овладеть этой пустынной территорией, где нет ни капли нефти, только голые скалы, исхлестанные песчаными бурями, ради своих дочерей, достойных унаследовать престол воспетой царем Соломоном царицы цариц, прекрасной Балкис, царицы Савской.

Они были так хороши, что охотников сложить за них голову нашлось немало, в их числе был и Антонен, который не вернулся к невесте и тогда, когда кампания была проиграна, но кто бы, глядя на Розу, смог его упрекнуть!

На всю округу я был единственным мальчишкой с нордической внешностью, и именно поэтому мне отдавала предпочтение самая хорошенькая из всех моих подружек Даниель, дочь шофера автобуса, курсирующего по маршруту Грас — Ницца; я был для нее иноземцем, шутка ли — родиться в Нью-Йорке! — в те времена для обитателей Ванса американец был все равно что пришелец с Альдебарана. Вдобавок я был сыном того странного русского, который писал безумные картины с зелеными петухами на перевернутых крышах, но на вид был ничего, да и продавались эти его картинки, наверно, неплохо, раз прошлой зимой — это Даниель знала от отца — он купил «Холмы». Так называлась красивая старая усадьба у подножия Бау-Блана, одной из трех крупных гор между Ниццей и Вансом, обращенных противоположным склоном к итальянской границе. Желтые растрескавшиеся стены дома проконопатили и перекрасили в белый цвет. Окрестные мальчишки завидовали мне, и недаром: все они жили в старых развалюхах, бараках или фургонах, и ни у кого не было такого огромного сада, в котором можно было строить разные домики и шалаши. Я получил на то особое благословение: меня прочили в архитекторы и Мадам сочла, что такое строительство — недурная подготовка к будущей карьере.

В молодости я объездил немало стран и везде испытывал неловкость от того, что был таким долговязым и белобрысым, настоящей белой вороной среди чернявых аборигенов. Только в Стокгольме у меня могли спросить, который час. Именно меня на площади Джема-эль-Фна в центре Марракеша фокусники выбирали недотепой, у которого прячут часы, на меня сыпались непристойные шуточки, мне сажали на плечо скорпиона, вешали на шею кобру, и именно мой столик облюбовывали вечером в ресторане исполнительницы танца живота. С возрастом проблема сама собой потеряла остроту — мало-помалу мои волосы поседели.

Как я уже сказал, отец Даниель был шофером автобуса Грас — Ницца, жизнь его оборвалась, когда он вместе с автобусом рухнул с обрыва; это было на шоссе, которое всегда называли дорогой в Сен-Жанне, а потом переименовали в улицу Анри Матисса. Другому художнику, живущему на той же улице, это, как нетрудно понять, было не слишком приятно, поэтому на указателе к новому названию добавили старое, чтобы папе можно было присылать письма, не упоминая имени того, кого у нас в доме звали не иначе как «обойщиком». Позднее, в шестидесятые годы, отец переехал в Сен-Поль, к сожалению, его там и похоронили. К сожалению, потому что он больше любил Ванс, хотя тамошние градоправители, кажется, не баловали его почестями.

Даниель была самой красивой из всех девчонок коммунальной школы, куда я, по малолетству, еще не ходил, а брал уроки у мадам Були, милой старушки, которая держала у себя дома чуть не сотню кошек. У нее была презабавная система обучения чтению и особенно письму: буквы в слове надо было писать карандашом того цвета, который соответствовал обозначаемому предмету: вишню красным, яблоко зеленым, небо синим, апельсин оранжевым, — это было очень здорово, не очень эффективно и слишком долго, коробка карандашей у меня была одна-единственная, фирмы «Каран д'Аш»*, подарок Вирджинии — так звали мою мать. Хорошо еще, что мадам Були не пришло в голову задать мне слово «волынка» — пришлось бы рисовать буквы в шотландскую клеточку, я бы и до сих пор их раскрашивал!

По традиции, существующей на севере Италии, любимой девушке дарят первый упавший с дерева каштан — именно только что упавший, а не сбитый палкой или просто подобранный с земли, это не считается! Она же, что вполне логично, обещает тому, кто сделает такой подарок, быть его возлюбленной до следующей осени. Когда наступало подходящее время, все мальчишки во всех школьных дворах прекращали игры и драки и стояли, задрав головы; учителя думали, что они высматривают летающие тарелки, о которых много говорили по радио, — тогда еще все слушали боль-

---

* Швейцарская фирма, основанная в 1924 году, названа в честь знаменитого французского карикатуриста родом из России Эмманюеля Пуаро (1859—1909), который подписывался псевдонимом Каран д'Аш.

шие, не транзисторные, радиоприемники. На самом же деле мальчишки поджидали, когда упадет каштан, чтобы преподнести его, конечно же, Даниель; а одного чудака я даже видел как-то раз под платаном.

И вот однажды осенним днем иду я домой с урока мадам Були по узкой улочке Пуалю, параллельной главной улице старого города, как вдруг перед прачечной натыкаюсь на роскошнейший каштан в треснувшей кожуре, такой, каких никто не видывал на всем пространстве от Неаполя до Гибралтара. О калабрийских обычаях я ничего не знаю и подбираю его просто так, из любопытства: крупный, тяжелый, блестящий, почти круглый каштан; и тут же, откуда ни возьмись, орава мальчишек, они бросаются ко мне с дикими и совершенно невразумительными воплями; я пускаюсь наутек, они, в полной ярости, за мной; чтобы оторваться от них, бегу в ту сторону, откуда пришел, потом сворачиваю и переулком наискось добегаю до курсгульской дороги, но они, верно, знают, где я живу, и подстерегают у старой церкви, мне не остается ничего другого, как только спрыгнуть в овраг, и я кубарем скатываюсь к протекающей понизу речушке Любиане, добрый десяток метров по крутизне, по кустам ежевики, крапиве; каштан я потерял, еще когда перебегал через дорогу, но они этого не заметили и продолжают гнаться за мной, я все еще не понимаю, чего им надо, весь мокрый, искупавшись в довольно глубокой в этом месте речке, лезу вверх по другой стороне оврага и выбираюсь на дорогу, которая делает большую петлю, пройдя через мост, а на мосту стоит Даниель и смотрит на развернувшуюся из-за нее баталию. Между тем мой отец идет себе, как всегда в это время, с прогулки домой, видит под ногами каштан, подбирает его, вытирает обшлагом своей бархатной куртки и подает девчушке, она же поднимается на цыпочки и целует его в щеку. Поцелуй Даниель! В тот миг десяток пацанов на дороге в Сен-Жанне понимают, что значит настоящий обольститель!

Nel blu di pinto di blu

«Nel blu di pinto di blu» — пело радио, еще не транзистор! — у Розы. Эта строчка из старой романтической песенки пятидесятых годов переводится примерно так: «Под синим небом, выкрашенным в синеву». Дальше идет: «Felice di stare la su», то есть: «Мне хорошо тут». Вот и мне было хорошо в разлитой повсюду синеве: в синих тонах был выдержан весь интерьер, синие ирисы росли вокруг дома, плантации синеголовиков и дикой лаванды раскинулись в окрестностях. В саду у наших соседей Барриеров, цветоводов-любителей, стояли целые шеренги анемонов цвета индиго. Хуже обстояло дело летом, когда наступал сезон роз, а потом гладиолусов, которые я терпеть не могу. В паспорте у меня записано, что я родился «в городе Нью-Йорке штата Нью-Йорк», но это неправда. Я родился в синеве. Когда слились две синевы: светло-голубые глаза моей матери и ярко-голубые отца, из этой встречи явилось, как мне представляется, нечто похожее на синеглазого ангела — все ангелы, я уверен, синеглазы. А у меня и щеки были синими, точнее, становились синими из розовых, переживали розовый и голубой период. Это отец, забыв, что только что держал в руке ультрамариновый карандаш, походя трепал меня по щеке, когда мы с Джин, моей единоутробной сестренкой, играли между столами и мольбертами; для провансальцев «Джин» звучало слишком коротко и просто, поэтому ее все звали Жанной или ласково Жанеттой, я тоже получил ласкательное прозвище и из Давида стал Давиду́.

Настал день, когда я тоже решил рисовать, папа дал мне коробку ломкой жирной пастели, и, то ли машинально, то ли подражая ему, я стал выбирать синий кобальт, бирюзовый, берлинскую лазурь — все оттенки синего цвета, только синий и никакой другой, — так мне хотелось быть в его мире вместе с ним, и так я был наивен. Наивно было думать, что в этот мир можно войти, вооружившись простым цветом как ключом; ведь нам дано открыть только те двери, которые есть в нас самих. Вероятно, об этом или о чем-нибудь похожем беседовал мой отец с Альбертом Эйнштейном, когда они встречались в Берлине; говорят, великий ученый очень скверно играл на скрипке, что ж, по мне, лучше играть на скрипке скверно, чем не играть совсем, но папа, помнивший, что в его краях плохим скрипачам приходилось лезть на крышу, наверно, опасался за нового знакомого, хотя тому, кто отхватил Нобелевскую премию, прощались все, сколько бы их ни было, фальшивые ноты.

Он любил делать эскизы-коллажи: вырезал лоскутки, бумажки и приклеивал на холст, лист бумаги или картон — и ненавидел писать фон. Эта работа была возложена на меня и оставалась моей обязанностью даже тогда, когда я после очередного учебного года в колледже приезжал в «Холмы» на летние каникулы. Разумеется, мне куда больше нравилось ходить на море, поэтому папа придумал хитрую уловку, чтобы заставить меня малевать эти его фоны: сказал мне, что, если листок полностью покрыть краской, он улетит. И вот Огюст вырезáл из большого рулона бумаги листы размером 50 на 65 см, в комнате открывали все окна, и я усаживался за нудное раскрашивание. Красил и красил — красным, зеленым... старательно и терпеливо, не оставляя пробелов, но ни один лист, даже сплошь покрытый краской, ни разу не взлетел.

— Пап, у меня не выходит...

— Ну, попробуй еще разок, возьми теперь оранжевый.

Я красил оранжевым пять, десять листов — никак!

— Ладно, наверное, сейчас слишком жарко, завтра попробуем еще.

Если же я собирался рисовать что-нибудь свое, то получал только старые выжатые тюбики, бывало даже со вспоротым брюхом, чтобы достать последние капли краски. Или новые, нетронутые, но затвердевшие, иногда даже уложенные в фабричную коробку с надписью кириллицей — мне хотелось думать, что папа ездил когда-то по знаменитой Транссибирской магистрали и возил эту коробку с собой. В ту пору фирмы, производящие художественные принадлежности, уже начали бесплатно поставлять их некоторым мастерам, а у отца в шкафах и так были целые склады коробок и ящиков с красками, хватило бы на роспись плафонов всех оперных театров мира, но он никогда не выбрасывал старые, пока они не кончатся совсем, — привычка, сохранившаяся со времен парижского Ла-Рюш*, когда нищим художникам было нечем и не на чем работать и, за отсутствием холста, они писали на простынях. Вот мне и приходилось идти в мастерскую к Огюсту, зажимать в тиски эти засохшие тюбики и распиливать пилкой под ворчание Огюста — ему, конечно, именно теперь нужны были тиски.

Мадам звала Огюста Огюстом, отец, выходец из простонародья, стеснялся называть человека просто по имени и говорил «месье Тиберти». Короткое «Тиберти!» означало, что он рассержен. А как быть мне? Мой отец был из очень бедной семьи и стал очень богатым, мать, наоборот, — из очень богатой, а стала довольно бедной, вот я и выбрал нечто среднее: «месье Огюст». Выпотрошив тюбики, я разбивал сухие комки молотком — Огюст смотрел сурово и нетерпеливо, ему был срочно нужен молоток. Краска превращалась в

---

*«Улей» (*фр.*) — двенадцатиугольный дом со множеством дешевых мастерских в квартале Монпарнас, в котором в 1910-е годы обитали художники-новаторы разных национальностей. Шагал жил в «Улье» с 1912 по 1914 год.

37

порошок, который я разводил, как майонез: добавлял желток из выкраденного на кухне яйца и льняное масло по капелькам, получалась гладкая однородная масса, точь-в-точь покупная краска. Я не первый придумал этот способ, задолго до меня его изобрели торговцы поддельными картинами. Они покупали плохонькое полотно, написанное в то время, когда жил намеченный для махинации художник, например в начале двадцатого века, соскабливали оригинальное изображение и заказывали умельцам написать на этом холсте фальшивку такими вот заново разведенными красками из старых пигментов, которые выискивали у старьевщиков или по углам художественных мастерских; и никакая экспертиза, включая радиоуглеродный анализ, не докопается: холст настоящий, девятисотого года, ну и при условии, что тот, кто писал, обладает минимальным талантом и грамотно подделана подпись, картина становилась сначала «предположительно», а затем, пройдя две-три продажи, — и «бесспорно подлинной». Сегодня, как уверяют торговцы, такие вещи больше не делаются.

Однажды, когда я перетирал и размешивал небесно-голубую краску, Огюст вдруг выронил стамеску и застыл, будто увидел черта. Так оно и было: в дверях мастерской стояла, уперев руки в боки, Мадам.

— Можно узнать, чем ты тут занимаешься?

Бедная Роза, которую обвинили в краже яиц, не выдержала и проговорилась, за что потом, еще три лета, все корила себя. Хватит на семью и одного художника, я должен стать архитектором, а рисовать не должен и не буду, мне велено строить в саду шалаши и домики, мне десять лет, я ненавижу шалаши, я ненавижу домики, я ненавижу шалаши и домики, на всей Земле я единственный, один-единственный на миллиард, ребенок, которого тошнит от шалашей.

Кувшины, каталонец
и его внучка

Одно время мы каждый день ездили в Валлорис. Это было до Мадам и задолго до Огюста, еще когда мама жила в «Холмах». Выезжали втроем, Джин шла в школу, а я был маленький, моя мадам Були со своим кошачьим стадом, видимо, отдыхала, отдых же длился у нее не меньше трех месяцев. Керамика из Валлориса так же знаменита, как стекло из Мурано, то и другое — часть обязательной программы для всех туристов на Лазурном берегу. В Эксе — калиссоны*, здесь — горшки и вазы. Яркие, цветастые, как полагается по традиции; на рисунках всего понемножку: мимозы и цикады, море и оливковые веточки, не считая чисто абстрактных узоров. Уже тогда Валлорис славился огромными обливными кувшинами, похожими на амфоры с плоским дном,

---

* Особые сладости в виде ромбиков, которые делают только в провансальском городе Эксе.

43

какие иногда ставят перед домом для красоты, но у этих сосудов другое предназначение — они служат туалетом. У Барриеров так и говорили: вместо «сходить в туалет», «сходить в кувшин». Такие кувшины вкапывали в землю где-нибудь в глубине сада, так что снаружи оставался только ободок сантиметров в тридцать высотой. Вот почему тщательно покрывали глазурью только эту видимую часть, а ниже оставались небрежные потеки. Когда сосуд заполнялся до краев, торчащий ободок отбивали и сверху все засыпали землей. Овощи, посаженные на такой субстрат, росли как сумасшедшие. Поэтому провансальцы ухмыляются про себя, когда попадают в Жьен и видят перед каждым из разбросанных, точно детские кубики, домиков купы гортензий: памятуя о своих подземных сокровищницах, они представляют себе, что эти пышные цветы растут в фарфоровых унитазах. Словом, городок живет продажей предметов весьма и весьма прозаических, тут нечего возразить, однако сами горшечники скажут вам, что не стали бы заниматься этим делом, если б их товар не шел нарасхват. Как известно, деньги не пахнут!

Мадура была одной из лучших гончарных мастерских в Валлорисе, неудивительно, что отец обратился именно туда, когда захотел попробовать себя в керамике, вот только Пикассо, узнав о его намерениях, пришел в ярость. Валлорис был его вотчиной. Так же как Ницца, точнее, Симие́з* — вотчиной Матисса, пока он не обосновался в Вансе, разукрасив там капеллу, но это уже совсем другое дело. Леже застолбил Бьо, где позднее откроется его музей, огромный, стоящий на боку бетонный прямоугольник, похожий на обувную коробку. У Кокто тоже была своя часовня — в Вильфранше, крошечная и изящно расписанная; она очень нравилась местным жителям, что бывает крайне редко — обычно публика не одобряет эксперименты художников в церкви. Влияние же Пикассо распространялось повсюду от Антиб до Валлориса, включая Канны, но папа не затем выбрал Мадуру, чтобы ему насолить, — они ценили друг друга, и, когда я родился, папа послал ему мою фотографию, а он, как пишет в своей книге Франсуаза Жило, повесил ее на стенку в мастер-

_____

* Район Ниццы.

45

ской, и хоть у меня и не висит ни одного Пикассо, зато я сам какое-то время висел у него. Между художниками установились уважительные, но довольно своеобразные иронические отношения, что иной раз сквозило в их высказываниях. Например, когда однажды некая молодая журналистка спросила отца: «Вы любите Пикассо?» — он ответил: «Если Пикассо любит меня, то и я его люблю».

Когда «мы работали» в мастерской, мимо дверей все время шныряла какая-то девчушка, может, это и в самом деле была Палома, во всяком случае, отец тоже посылал меня с заданиями: «Посмотри, что он там делает?» или «Какая у него глина?». Мы с девчушкой были шпионами на службе у двух величайших художников нашего века; две таких сильных личности не могли не сталкиваться, и в этих столкновениях высекались прекрасные искры. Должно быть, их «соперничество» началось еще перед Первой мировой, когда Аполлинер или Блез Сандрар курсировали между Ла-Рюш и Бато-Лавуар*: левый берег против

---

* «Плавучая прачечная» (*фр.*) — дом на Монмартре, напоминавший речные баржи-прачечные, место проживания художественной богемы 1900-х годов.

правого; всегда существовало некоторое ревнивое противостояние лидеров — так часто бывает у школьников, но художники никогда не перестают быть детьми.

Гончарная мастерская — рай земной для мальчишки. В Мадуре в моем распоряжении были горы самого разнообразного по составу и цвету материала для лепки: от белоснежного каолина до глины всех оттенков — серой, красной, зеленой, черной, целые гончарные монбланы, из которых я мог лепить все, что вздумается: солдатиков, лошадей, человечков. Мастера, которым давно надоело работать с привередами-художниками, охотно мне помогали, учили, например, как формовать вазу на круге, как делать в фигурке дырочки для выхода воздуха, чтобы она не треснула при обжиге, и разным другим хитростям. Я обожал учиться, в отличие от взрослых, которые часто считали, что все знают сами, в результате глина у них оседала, получались странные формы, а они врали, что так задумано. Если у меня выходила особенно удачная фигурка, мне разрешали поставить ее в печь. Несколько часов спустя дверку открывали и... вот это было чудо! Глина превращалась в отличную керамику, в печи стояла настоящая статуэтка. Но прежде чем прикоснуться к ней, надо было подождать, пока она остынет, а на это уходило время, и немалое, если учесть, что для пятилетнего мальчугана оно тянется вдвое дольше. Теплую фигурку можно было отнести в другой цех и раскрасить. Я расписывал ее собственными узорами, не похожими на петухов Шагала и быков Пикассо. Фигурка снова пеклась еще несколько часов. Раскрашенная и отлакированная, она была так хороша, что рядом с ней разные штуковины, которые делал папа и его лысый приятель, казались мне просто ученическими поделками.

Отец быстро устал без конца ездить из Ванса в Валлорис и обратно, каталонец тоже устал, и оба переключились на другие вещи, оставив потомкам немало произведений, причем Пикассо — больше, чем папа, который работал не так быстро и спешил, только когда набрасывал этюды. Тот же способен был меньше чем за неделю заполнить товарами целый отдел фарфора в магазине «Самаритен», и при этом у него еще оставалась куча идей на ближайшее будущее.

Много позже, когда обоих художников давно уже не стало, я побывал в огромном сарае около Кань-сюр-Мер, неподалеку от «Нептуна» и «Могадора», — обычно в таких сараях устраивают склад пианино или мебели, в этом же были только полки в несколько рядов по обеим стенам. С одной стороны — полсотни закрепленных на подставках и, скорее всего, нигде не описанных тарелок, изготовленных моим отцом в Мадуре, а с другой — примерно столько же тарелок работы Пикассо; в полной тишине и полумраке пустого склада взирали друг на друга две шеренги этого странного парада.

Свадьба Иды, спартанцы и бельгийский фотограф

Отец открыл для себя Валлорис, когда искал мастера, который мог бы сработать сервиз, придуманный им для моей второй, единокровной сестры Иды по случаю ее бракосочетания с Францем, директором известного швейцарского музея. Белый, с розовым оттенком керамический сервиз состоял из тарелок, плошек для борща, блюда и супницы, все расписано рыбками, осликами, петухами и влюбленными парами. И вот день свадьбы настал.

На площади перед мэрией собралась целая толпа, люди бросали цветы — отца обожали в Вансе, считали «своим» художником, и весь городок пришел его поздравить. Незадолго до того к нам приехал один фотограф, бельгиец, обосновавшийся в Нью-Йорке, мастер по портретам знаменитостей; сняв отца, он задержался на некоторое время под предлогом того, что хотел сделать небольшой фильм, на самом же деле он влюбился в мою мать. Естественно, ему и поручили фотографировать новобрачных перед мэрией; против солнца приходилось снимать со вспышкой, я подбирал пустые капсулы и нюхал — от них шел приятный сладковатый запах. Радостной толпой мы пошли от мэрии вверх по улице Пуалю к большому дому — вилле «Холмы», с нами были папин маршан* Эме Мэг с женой Маргерит, какой-то поэт, уже успевший изрядно набраться, впрочем, остальные очень скоро с ним сравнялись и плясали, судя по фотографиям, чуть ли не до утра.

До тех пор жизнь у нас с Джин была прямо-таки райская. И вдруг за несколько месяцев все пошло наперекосяк. Началось с того, что в Вансе появился некий Гордон Крейг, якобы ученик Кришнамурти, проповедник непротивления злу и вегетарианства — всяких таких штучек, модных в Париже, но не у нас, настоящий хиппи, на двадцать лет опередивший своих собратьев. Он хотел основать на Юге ашрам и открывать всем желающим путь к Идеалу; этот философский замысел доволь-

---

* Торговец картинами.

но удачно воплотился в реальность, вкратце сводившуюся к следующему: много красивых и желательно богатых женщин, которых гуру удостаивает чести возвести на свое ложе, ученицам — чай с молоком, наставнику — шампанское.

Вскоре к нему присоединился Раймонд Дункан, тоже в тоге и сандалиях, младший брат Айседоры, такой же чокнутый, как она, еще один обогнавший время хиппи. Дункан был знаком с отцом, они встречались в парижском кафе «Куполь», куда отец заходил поесть устриц раз в месяц, когда получал чек за картины. В один прекрасный день эта парочка заявляется к нам в «Холмы», папа принимает их довольно радушно, но главное, они в два счета охмуряют маму, и у нас начинается такое суровое вегетарианство, что Роза берет расчет: каждый день пшеничные проростки с пивными дрожжами, неочищенный рис, сырые овощи, нам с сестренкой Жанеттой это не нравилось, мы любили мясо, любили макать в мясной соус свежий белый хлеб. Покупаются велосипеды для дальних прогулок, и только отцу ни до чего нет дела, он увлечен керамикой и каждый день с утра пораньше мчится работать. Наш тогдашний шофер Александр, который смастерил для меня подвешенные на перекладине трапецию и качели, увозит его в Валлорис, мы же остаемся в руках у этих полоумных — в городе их только так и называли, — до того заморочивших голову матери, что она и нас обряжает в тоги и сандалии на толстенной подошве, мы еле волочим в них ноги, как месье Юло из знаменитого фильма. Однажды я ехал на багажнике маминого велосипеда и попал ногой в заднее колесо, раздался страшный треск, мама решила, что я раздробил себе кости, а оказалось, что это подошва переломала спицы. Джин приходилось еще хуже, чем мне. В одиннадцать-двенадцать лет девочки уже любят наряжаться, а показываться в школе подружкам и мальчишкам таким чучелом — просто ужасно.

В ту пору в большой моде были всевозможные педагогические течения. На Каньской дороге открылась школа Френе, где ученики практически делали, что хотели. Другие дети жутко завидовали им и при встрече лупили. Бедные «френетики» боялись выходить в город, особенно осенью — мальчишки обстреливали их каштанами и легко могли проломить череп. Однажды драка завязалась на глазах у Матисса, который попросил директоров разных школ прислать ему помощников, чтобы делать декупажи* для его капеллы. Я немножко знал старого художника. Отец иногда заходил к нему в Симиез, пока между ними не произошла размолвка, и я смутно помню просторную мастерскую и сидевшего в огромном кресле хозяина. Под конец жизни он уже больше не вставал и не писал, даже с расстояния, — я видел, как он это делал прежде, привязав кисть к длинной бамбуковой палке. Причина ссоры была проста до смешного: папа хотел получить в свое распоряжение часовенку на Курсгульской дороге и переделать все ее убранство, как сделал Кокто в Вильфранше, но ему не позволили, Матисс же получил разрешение возводить свою капеллу. Можно удивляться, почему это старых художников тянет строить церкви, но желание сделать что-нибудь в искупление своих грехов свойственно всем старым людям, просто у художников оно проявляется более наглядно. Конечно, сыграла свою роль и неле-

---

* Декупажи — вырезки из бумаги, окрашенной гуашью, которые Матисс использовал при работе над декором капеллы Розария.

пая идея присвоить дороге, по которой отец гулял каждый день, имя другого художника, тем более что никакая другая дорога в округе, не считая Наполеоновской, не называлась в честь человека, вот почему у нас дома старого мастера звали «обойщиком».

Так вот, Матисс хотел собрать два класса: наш и класс «френетиков», а поскольку они отказывались выходить за пределы школы, то, чтобы выполнить желание художника, пришлось перенести встречу на их территорию. Нас было тридцать человек, но половина сбежала по дороге на мост через Любиану, где Даниель поджидала моего отца. Поначалу все шло хорошо, листов пять-шесть мы обработали как надо, а потом принялись изводить дорогую бумагу, вырезая ножницами кто что: грузовики, легковушки, человечков. «Френетики» начали возмущаться, и в них полетели баночки с клеем, а потом и ножницы, Матисс рассвирепел, раскричался и выгнал всех вон, размахивая над головой своей палкой, а на мост идти было уже поздно, так я и не сделал ни одной фигурки для этой, будь она неладна, капеллы, а Матисс обратился за помощью в школу для девочек. Странно, почему-то самую нудную работу всегда поручают детям. Закрашивать фон или вырезать водоросли из лощеной бумаги; вот если бы Ив Клейн* попросил нас мазать синей краской свои модели, перед тем как он приложит их к холсту, от охотников не было бы отбою.

Крейг с Дунканом вскоре уехали, свой ашрам они в конце концов открыли в Париже на улице Сен, он и сейчас там. Отец продолжал работать в Валлорисе, поначалу мама каждый день приезжала к нему обедать на «паккарде» фотографа-бельгийца, потом стала приезжать через день, а потом уехала с фотографом и увезла с собой детей.

Когда следующим летом я, отучившись год в пансионе, приехал в «Холмы» на каникулы, отец был уже женат на Мадам, вместо Александра шофером служил Огюст, а вместо трапеции и качелей раскинулся английский цветник, единственной хорошей новостью было то, что вернулась Роза.

---

* Французский художник (1928 — 1962), один из основоположников концептуального искусства. Покрывал краской тела нагих натурщиц и делал их отпечатки на холсте. Предпочитал синюю палитру.

Эйнштейн, опунция, деревья
и чертополох

Зимой и летом каждый день ровно в шесть отец выходил из мастерской, кланялся соседу мраморщику Жильберу и отправлялся на часок прогуляться. На третьем километре дороги в Сен-Жанне он поворачивал голову налево и шел так полтораста метров, пока не оставалась позади строящаяся на правой стороне капелла Матисса. Неподалеку росла самая большая в округе опунция; в середине августа, когда созревали ее плоды, отец брал с собой стеганую рукавицу месье Мариано или просто складывал газету и сбивал их, а потом разрезал перочинным ножом. Туристам на Джербе любят рассказывать, что именно этот остров Гомер упоминал как остров Лотофагов, а лотосами называл эти самые плоды, которые еще именуются берберийскими фигами. Чушь и бред. Несложные расчеты показывают, что финикийцы, основавшие Карфаген и колонизовавшие Джербу, завезли туда это растение, происходящее, соглас-

63

но некоторым источникам, из греческой области Опус, на четыреста шесть лет позднее, чем мог проплывать Одиссей с товарищами. Лотофаги ели обыкновенные финики, которых эллины еще не знали. Если вы когда-нибудь попадете на Джербу и гид расскажет вам эту сказку, плюньте ему в глаза.

В другое время, когда опунция не плодоносила или только цвела, мы шли дальше и доходили до небольшой деревушки, в этом месте была очень плохая дорога, что стоило жизни отцу Даниель. Папа срывал, опять-таки газетой, стебли своего любимого чертополоха, росшего по обочинам, и набирал целый букет, потом мы возвращались домой и на третьем километре шли полтораста метров, повернув головы теперь направо.

Насколько я знаю, ни на одной из его картин нет букета чертополоха. Видимо, Роза, каждый день убиравшаяся в мастерской, считала, что чертополоху не место рядом с роскошными гладиолусами мадам Баррьер, и выбрасывала его вон, думая про себя: «Не будет же месье рисовать эти колючки, они годятся только для ослов...» Но как раз ослов папа очень любил и постоянно писал, может, потому и собирал чертополох. Однажды он попросил Гийома Аполлинера подобрать название для своей картины, и Аполлинер придумал: «Россия, Ослы и другие». Россию представляли уроженец Польши Костровицкий* и его друг-художник из Белоруссии, то есть оба почти русские, оставались ослы и другие, те, кто выкидывает цветы чертополоха и заменяет их уродливыми гладиолусами. Вообразите только, какая получилась бы цветочная серия на фоне Сен-Поля или Ванса, состоящая из васильков, чертополохов и веточек цветущего розмарина, — всего этого мы лишились по вине Розы, царствие ей небесное.

О чем только мы не говорили по дороге, конечно, о живописи, а еще больше об архитектуре. Отец видел мои домики в саду и, наверное, думал, что мне действительно нравится это дело, а раз так, надо меня познакомить со всеми архитекторами, которых знали он сам и Мадам. Кошмар! Они знали их всех. Еще он объяснял мне открытия Эйнштейна: искривленное пространство, кванты, мне бы-

---

* Настоящее имя Аполлинера — Аполлинарий Костровицкий. Однако название данной картины придумал не он, а другой поэт, близкий друг Шагала, Блез Сандрар.

3 – 5301

ло всего лишь семь лет, я ничего не понимал, многие говорят, что математика — это стихи, я согласен, но чтобы это было так, необходимо несколько условий: вам должно быть семь лет, рассказывать эти стихи должен ваш отец с русским акцентом, а происходить все это должно на дороге в Сен-Жанне, позднее — дороге Анри Матисса.

Нам было жаль, что мы так мало пробыли вдвоем, и мы знали, что Мадам будет ворчать, из-за того что он на целый час отвлекся от работы, а теперь уже скоро ужин. Поэтому отец старался подойти к дому с другой стороны, через двор столяра месье Кулона, у столяра была хорошенькая дочка, высокая, статная, рыжеволосая, которая игриво поглядывала на отца, надеясь, что когда-нибудь он напишет ее портрет, потом в «Нис-Матен» напечатают ее фото, она получит титул «Мисс Ванс», а уж тогда...

Папе ее заигрывания были приятны, и он посылал меня смотреть, как распиливают доски, я это видел сто раз, но очень любил дерево. Как отец любил ослов, так я — дерево, обожал стружки, различал по запаху опилки: смолистый дух сосновых, пихтовых, орегонской ели, которую тогда уже завозили, сладковатый — ореховых, кисловатый — пробкового дуба, я и до сих пор люблю звук пилы, сначала прорезающей кору, затем вгрызающейся в саму древесную плоть, звук, который меняется, по мере того как железные зубья разогреваются и проникают в сердцевину ствола, люблю, когда свежие доски укладывают друг на друга, прокладывая между ними брусочки, так что как будто снова собирается бревно, и все же каждый раз, когда я вижу, как валят дерево или когда оно падает само, у меня на глазах выступают слезы; меня трясет, когда в камине сжигают слишком много дров, я долго думал, что это от жадности, и злился на себя, но нет — я жалею дрова из любви к деревьям, хоть никто мне не верит.

Мы понимали, что изрядно провинились, и шли домой тропинкой вверх по склону, дочка столяра долго махала нам рукой с берега Любианы, который был в том месте гораздо чище, чем у железнодорожного моста, где все бросали вниз с откоса разный хлам — тряпье, отслужившие матрасы, холодильники, канистры, хотя там красовалась надпись: «Свалка запрещена».

Мадам, сложив руки, грозно караулила на крыльце, окруженная свитой драных сиамских котов. Отец шел прямиком к Огюсту, а тот, подыгрывая ему, делал вид, будто еще работает в такой час. Отец громко кричал:

— Огюст! Вот гвоздодер и шурупы с круглыми головками, которые вы просили...

— А-а, да-да, спасибо, месье! — отвечал Огюст, фальшивым, хуже, чем у Жан-Пьера Лео в фильме Трюффо, голосом.

— А гвозди я забыл, возьму завтра у Кулона, да мне и на шурупы-то еле хватило...

— Хорошо, месье! — орал Огюст, который никогда не опускался до таких грубых технологий, как сколачивание чего-либо гвоздями.

Мадам заходила в дом, она не верила ни одному слову из всей этой комедии про гвозди, но пора было ужинать, а после ужина отец шел работать, и ему нельзя было портить настроение, потому что человек в плохом настроении плохо напишет гладиолусы; когда этот человек сердит, он начинает что-то исправлять в своих библейских штуках, всех этих Моисеях и бегствах в Египет, которые так трудно продавать, а не то, чего доброго, примется писать совсем уж неходовые распятия, кому, скажите на милость, нужны в наше время распятия, да еще написанные евреем?

Как-то лет через пять после войны архиепископ Ниццкий, решив сделать знаменательный шаг к сближению конфессий, сообщил о своем намерении посетить «Холмы» в определенный день и час. Набежали репортеры, подкатил черный лимузин, скрипя колесами по гравию, который в спешном порядке набросали поверх убогой старой щебенки. Суета, вольфрамовые вспышки, журналисты наперебой выкрикивают вопросы, я же, когда величавый прелат вылез из автомобиля, играл около качелей. Александр в майке появился из кустов с садовым ножом в руках:

— Чем могу служить?

— Мэтр ждет нас, доложите — архиепископ Ниццкий.

Ни я, ни садовник, естественно, ни о чем не знали, меня оставили дома, потому что у меня была краснуха и мне нельзя было сидеть на солнце, но Джин и папа с мамой уехали купаться в Ка-Ферран; просто мама, по своей всегдашней рассеянности, все забыла, и придется ждать еще много лет, прежде чем католическая церковь в лице папы Павла VI опять сделает такой экуменический жест.

Садовник, виноградник и урны
из Тель-Авива

Как ни рано вставал отец, Мариано вскакивал еще раньше, до рассвета, и принимался точить свои серпы, проворно водя по лезвиям точилом, продолговатым камнем, который как-то очень здорово называется по-провансальски, но я забыл как. Наточив инвентарь, он не сразу шел косить, а ровно в шесть утра усаживался перекусить, его обычный завтрак состоял из политого оливковым маслом ломтя хлеба с помидорами и толстыми кольцами лука, а к этому добрый литр местного вина. У нас был свой виноградник. Плохонький, со старыми лозами, которые давали всего несколько ведер ягод. Уход за виноградником — дело нелегкое. Обрезать побеги по осени и подравнивать в марте — это еще не работа, это легко и приятно, удалять волчки летом, часов в семь вечера, когда садится солнце и не так обильно выступает сок, — тоже одно удовольствие, нетрудно и собирать урожай на таком клочке, но окапы-

73

вать лозы и выпалывать сорняки зимой из твердой, как бетон, земли — вот это уже другое дело; одна радость: если постараться, можно собрать много уснувших улиток и сварить их с чесноком в больших кастрюлях, вонять будет до самого Систерона, зато вкусно. Мариано все обещал нарезать черенков, омолодить лозы, но он должен был в первую очередь обрабатывать английский цветник, или, как теперь полагалось говорить, «mixed-border», который вытеснил мои качели, там росли люпины, астры и прочее, но упаси Бог сорвать хоть один георгинчик, там же срезáли проклятые гладиолусы, которые быстренько подсовывали отцу, как только у него возникало желание написать букет цветов. А еще надо было следить за тремя сотнями кипарисов, окаймлявших дорогу на подъезде к «Холмам», рассаживать ирисы по весне, убирать аллеи, чистить стекавшие с горы и петлявшие по каменному склону ручьи, не забывать про огородик с водяной грядкой кресс-салата — все это хозяйство не оставляло времени, чтобы заняться виноградником. По воскресеньям Мариано играл в шары, причем каждый раз ходил на другую площадку — то в Турет, то в Курж, но Мадам все равно находила его и придумывала какое-нибудь дело, лишь бы испортить бедняге вечер.

От Мариано я много узнал о деревьях и вообще о растениях, научился нарезать черенки и делать нехитрые прививки, сам же он был в этом деле непревзойденным мастером и славился на весь город, так что его приглашали во все сады: кто, как не он, сумел приживить два привоя на трехлетнее лимонное деревце — справа ветку апельсина, слева грейпфрута, и мы так гордились этой диковинкой, что не снимали плоды, и они висели, пока не упадут, а тогда уж никуда не годились — были либо гнилые, либо исклеванные птицами. В свои двенадцать лет я любил птиц, но предпочел бы, чтоб они кормились где-нибудь подальше от нашего сада или вообще здесь не летали, ведь такого тройного цитруса не было ни у кого. Я бы с удовольствием сделал пугало, обрядил его в старый плащ Мадам и нахлобучил на дерюжную башку какую-нибудь из тех шляп, которые она мастерила в Лондоне, когда Ида откопала ее и привезла во Францию, но она, даром что жила в Англии, была начисто лишена чувства юмора.

Каждое лето Мариано учил меня множеству разных вещей, полезных и не очень: прививать деревья, прореживать кресс-салат, играть в петанк — это, конечно, хорошо, но вытачивать ножи из бамбука и заострять их, шлифуя по ходу волокон, — дело уже не слишком похвальное. Такой нож не уступал самурайскому, я мог бы вспороть им живот кому угодно, хоть «френетикам», хоть соперникам-калабрийцам, хоть английским шляпницам, а оружие сжечь, и все шито-крыто. Еще я научился у Мариано делать из бамбука трубку, соединяя две палочки — потолще, для головки, и потоньше, для черенка, который надо было тщательно прочистить каштановым прутиком, — а потом, естественно, курить, добывая табак из подобранных где придется окурков.

Мариано был весь в татуировках, тогда это было редкостью, у него даже хранился в шкафу револьвер, он мне его показывал, и я думал, что этот двойник молодого Фернанделя прежде служил в Иностранном легионе, воевал в Африке или еще что-нибудь в этом роде. Лицо у него было странное, просмоленное нездешним солнцем, у нас в Вансе, даже на пляже между «Нептуном» и «Могадором», так

76

не загоришь, да и недаром же игроки в шары звали его Капралом, — но кто бы он там ни был, я до сих пор с сожалением вспоминаю о нем, когда вижу небрежно или наспех подстриженные деревья.

Кончилось все это очень плохо. Я довольно давно замечал, что к нам повадились ходить какие-то люди в черном, в широкополых шляпах, странных брюках и длинных чулках, похожие на амишей*, которых показывают по телевизору. Они скромно приходили пешком по дороге из Сен-Жанне, держа под мышкой небольшие деревянные ящички; если сталкивались с отцом, то были с ним крайне почтительны. Иногда они перекидывались несколькими фразами на идише, я немножко знал это причудливое наречие, во всяком случае, достаточно, чтобы распознать его, отец и Мадам разговаривали на нем, если не хотели, чтобы я их понял, но двенадцатилетний мальчишка хватает язык на лету, месяц-другой — и готово, от русского им пришлось отказаться еще

---

* Амиши — члены протестантской общины, живущие на юге США, в одежде и быту придерживаются обычаев XVIII века.

раньше. Амиши сразу шли к садовнику, совали ему три су, потом, как сеятели, разбрасывали в глубине сада какой-то серый порошок из своих ящичков и так же незаметно исчезали.

Однажды эту процедуру увидела из окна Мадам, и в тот же день Мариано пришлось собирать пожитки. Черные люди оказались лжехасидами, которые выполняли заказ богатых клиентов, желавших, чтобы их прах был развеян в саду Мэтра. На мой взгляд, особой причины для гнева не было, но Мадам, наверное, больше всего разозлило то, что ей самой ничего не перепадало от этой коммерции, папе же эта история казалась просто забавной, а если его садовник, славный малый Мариано, мог заработать пару лишних монет, то и слава Богу!

Заменить его никто так и не смог. Ухаживать за английским цветником наняли сына Баррьеров, он приходил раз в две недели по средам и получал два с половиной франка, на два с полтиной он и работал: являлся пьяным, с блаженной рожей, растягивался в теньке под оливой и засыпал. Остальная часть сада потихоньку зарастала, и вскоре заброшенный виноградник забила ежевика, а фруктовые деревья одичали.

Наконец пришел злосчастный день, когда городские власти дали разрешение на строительство вокруг «Холмов» пятиэтажных домов, это значило, что к нам в окна смогут заглядывать все кому не лень, и тогда Мадам купила участок земли в Сен-Поле, там срочно выстроили дом, они с отцом покинули Ванс и перебрались на новое место, туда меня уже не звали. На каникулы меня теперь посылали в Германию жить в каком-нибудь немецком семействе и изучать язык, я был в Кельне, на озере Констанс и в Бад-Годесберге, в Сен-Поль же приезжал только однажды, спустя десять лет, вместе с сестрой Идой — нас пригласили на обед.

Урок живописи в Лувре

Папа задумал обучать меня живописи, чтобы тем самым отвадить от нее. Быть художником — гиблое дело, к счастью, я отлично строил домики и, значит, легко мог стать архитектором. На Рождество мне дарили не футбольный мяч или игрушечное ружье, а альбомы Мансара и Ле Корбюзье. На день рождения я получил «Историю Баухауза*, 1919 — 1933» Вальтера Гропиуса. Как видите, у меня подбиралась библиотека с определенным уклоном. В то время на Лазурном берегу строили себе виллы богатые столичные коммерсанты, как раз такая клиентура должна была обеспечить мое будущее. Отец так никогда и не привык к мысли о том, что он богат, он, например, учил меня сморкаться, за-

---

* Баухауз — знаменитое немецкое архитектурное училище и творческое объединение. Основано известным архитектором Вальтером Гропиусом, закрыто нацистами в 1933 г.

жав пальцем одну ноздрю, чтобы не пачкать носовой платок. Мы и в Лувр пошли в воскресенье потому, что в этот день пускают бесплатно. Отец считал музеи слишком дорогим удовольствием, и он был прав. Ему всегда хотелось, чтобы выходило побольше дешевых изданий его альбомов, «для студентов»; должно быть, когда-то в России ему часто приходилось горевать, оттого что он не мог посмотреть то, что хотел. Каждый год он делал литографию для дешевого журнала «По ту сторону зеркала», который издавал Эме, но на этом хорошо грели руки торговцы и спекулянты: где только не натыкаешься на вырванные из журнала, проглаженные и вставленные в рамку листы, их продают по бешеной цене. Впрочем, отец и Эме сходились на том, что «из-за горстки негодяев не стоит наказывать всех».

Я изучал не столько живопись, сколько биографии художников, особенно те, в которых повествовалось об их бедности, страшной, неизбывной нужде. О Пикассо, Браке, Дали, отец, понятно, старался не рассказывать, сознательно забывал и о молодых: Бюффе, Матье, де Стале, и об американцах, таких, как Стелла, Лихтенштейн, наконец, Уорхол, раскатывавших в лимузинах, рядом с которыми «роллс» Эме казался захудалым пятисотым «фиатом», эти люди не показатель, всем им просто повезло. Зато много говорилось о Сутине: он приехал из Минска нищим эмигрантом, кое-как прозябал в Ла-Рюш; чтобы не умереть с голоду, воровал мясо с бойни на улице Вожирар, и как-то раз среди зимы его чуть не убили бродяги из-за куска хлеба.

Сутину действительно приходилось туго, но упомянутый эпизод имел не криминальную, а скорее комическую окраску, и, я думаю, отцу было неловко вспоминать о нем. Дело было так: несмотря на жуткий холод в мастерской, отец работал нагишом — не хотел пачкать красками единственную смену одежды. Сутин же заканчивал свою знаменитую «Бычью тушу», натурой служила купленная на бойне половина быка. Стоила она недешево, и Сутин хотел написать с нее несколько картин; естественно, мясо протухло и стало зеленеть. Купить еще полтуши он не мог и вместо этого принес с улицы Вожирар ведро крови и облил ею свою модель. Кровь растеклась по всей комнате, протекла сквозь пол и закапала с потолка в отцовской мастерской, отец, как был, голым, выскочил на улицу с криком: «Помогите, Сутина убивают!» Примчались конные жандармы, Сутин, целый и невредимый, открыл дверь, отец же, когда его попытались допросить, притворился, что не говорит по-французски, а потом ни разу и словом не обмолвился об этом происшествии.

На этот раз он поведал мне судьбу Ван Гога, Утрилло и Модильяни, которые разбазарили чуть ли не все свои полотна, отдавая их неотесанным трактирщикам в уплату за стакан вина. Мы пришли в Лувр, и оказалось, что он закрыт по случаю ремонтных работ. Мадам обратилась бы в дирекцию, отец же, очутившись в такой ситуации, когда была его ретроспектива в Марсанском павильоне, просто дождался, пока заступит на пост знавший его в лицо сторож. Тот пустил его, уважительно назвав «мэтром», — отец всегда шутливо укорачивал пышного «мэтра» до «сантимэтра». Двери открылись перед нами и в тот раз, я счел это вполне нормальным, поскольку привык встречать со всех сторон знаки почтения, мне в детстве не приходило в голову, что меня окружают великие люди, что человек, с которым я что-то рисовал в четыре руки в саду, был Жоан Миро, а силач, который гнул для меня фигурки из железной проволоки в мастерской Огюста, — не кто иной, как Калдер, когда же я понял это, было слишком поздно, я сам уже почти повзрослел, и взрослые потеряли ко мне интерес.

Лувр. Весь Лувр для нас двоих! Отец знал музей наизусть и ухитрился, проводив меня по залам полтора часа, миновать все сто́ящее и показать одну пошлость да помпезность, так что я действительно был разочарован. Но все же он дал слабину: не утерпел, чтобы не взглянуть на Пуссена. Он сел на банкетку посреди зала, я — рядом с ним, и мы долго смотрели на одну из картин, а потом он вытянул руку, заслонив какую-то мифологическую дребедень, составлявшую ее сюжет или, вернее, предлог, и велел мне сделать то же самое, тут-то мне все и открылось: композиция, соотношение объемов, прославленные текучие линии, — я был заворожен.

К тому времени, когда сторож закрыл за нами двери со словами: «До свидания, мэтр», — я успел получить самый краткий, самый насыщенный и самый толковый вступительный курс, какой только можно вообразить, но, когда много позднее я привел в Лувр своего сына и попытался воспроизвести этот урок, у меня ничего не вышло: в музее толпился народ и не давал отойти от картины на нужное расстояние, но главное, у меня не было и тысячной доли таланта моего «Сантимэтра».

«Роллс», поэт, Гигит
и гладиолусы

Маргерит, как и ее муж Эме, родилась в Марселе. Она любила, чтоб ее звали Гигит, прекрасно готовила суп буйабес и варила его котлами, ну а Эме был маршаном и, главное, другом моего отца. Он часто рассказывал, как до войны они с Гигит торговали картошкой на портовом рынке, а потом один еврей, владелец маленькой галереи, спасаясь бегством из страны, временно передал ему свое дело, и он, Эме, проявил в нем такую сноровку, что вернувшийся после войны хозяин сделал его своим управляющим, а со временем он перебрался в Париж и вошел в десятку лучших галерейщиков мира. Супруги одинаково радушно принимали у себя знаменитостей и старого знакомого булочника, кинозвезд и почтальонскую дочку, ближайших соседей и случайных, а чаще совсем не случайных прохожих, так что каждое воскресенье за буйабес садилось с полсотни гостей, в том числе незнакомых людей, слетавшихся, как сказали бы сегодня, на халяву. Вино текло рекой, пусть, как я понял позднее, не такое уж хорошее, из собственного виноградника. Именно там я выпил свой первый бокал шампанского, а налил мне его поэт, скитавшийся по пустыне жизни без верблюда, с непокрытой головой и утолявший жажду в каждом оазисе. Мне тогда едва исполнилось тринадцать, и казалось, что я как будто попал в чудный, волшебный мир, где столько красивых девушек и улыбающихся лиц; у нас в колледже взрослые никогда не улыбались, я привык, что все везде — на улице, в метро, в поезде — бесконечно ругались. На вокзале в Ницце меня встречал Огюст и тут же начинал ругаться — он терпеть не мог этот город, в Вансе с порога ругалась Мадам, только отец улыбался мне своей улыбкой фавна, за одну такую я отдал бы миллион любых других.

Поэт написал мне стишок прямо на ладони шариковой ручкой, по тем временам — последняя новинка, которую снобы презирали, а школы категорически запрещали, дня через два строчки стерлись, но я до сих пор помню их наизусть:

> Меня, лохматого, как варвар,
> Поцеловала Натали,
> И где она меня лобзала,
> Уж борода не отрастала.

Само собой, Эме любил искусство, но не только, еще он питал слабость к хорошеньким женщинам и до страсти обожал бамбук. Всюду, где мог, он сажал бамбук всех сортов: индийский, яванский и даже камаргский, о котором обычно никто не вспоминал, потому что до Камарга рукой подать. Красноречивым жестом поэт приложил палец к губам, сдвинув торчавший окурок, и повел меня в глубь бамбуковых насаждений. Ступая неслышно, как зулусские охотники, мы подошли к садовому бассейну, и моим глазам открылось самое захватывающее зрелище, какое я видел за всю жизнь: в бассейне плавала взад-вперед обнаженная звездочка экрана, та самая, чей портрет красовался на первой полосе «Нис-Матен», там на ней было легкое ситцевое платье в синюю и белую клетку, очень скоро в подражание ей точно такие же наденут все — я имею в виду, все модницы на свете. Так я за один день получил представление о шампанском, о стихах, хотя бы и написанных шариком, и о женской красоте.

Нас всегда приглашали на эти веселые пирушки, но мы редко приходили — ведь рано или поздно Мадам пришлось бы ответить таким же приглашением. Огюст ставил наш «пежо» под тростниковый навес позади дома, рядом с роскошным хозяйским автомобилем — белым «роллс-ройсом — сильвер-клауд» с откидным верхом. Мадам обычно проходила мимо него с напускным равнодушием, отец же изумленно останавливался и думал, как это получается, что его маршан на свои пятнадцать процентов разъезжает в первоклассной машине, тогда как он сам трясется в старой колымаге, которой постыдился бы какой-нибудь помощник комиссара Мегрэ.

Как-то раз, читая мысли отца, Мадам объяснила ему, что его библейские сюжеты, его убогие местечковые евреи, его угрюмые раввины с Торой в бревенчатых избах никому не нужны и только нагоняют страх на их отпрысков, которые давно уже живут не в гетто, а на Пятой авеню, что все это плохо продается, что людям нравятся другие, радостные картины: влюбленные пары, букеты цветов, и что, если бы он писал такое, если бы вместо витебских домишек изображал виды Сен-Поля, он бы тоже очень скоро заработал «роллс», а уж потом мог бы, в свое удовольствие, вернуться к Библии, раввинам и избушкам, но это потом, а по-

94

ка надо приноравливаться к спросу, кто лучше приноровится, тот и гений.

«Как же! — вероятно, подумал он. — Легко сказать: рисуй Ванс и цветочки». Ладно еще Ванс, это не слишком избитая тема, Матисс, когда обосновался здесь, уже перешел на одни декупажи, но с цветочками дело похуже. Ирисы заняты, подсолнухи заняты, да еще как, кувшинки — тем более, и что же остается? Розы — тоска и китч, как ни старайся, все равно китч, полевые цветы — очень хороши, но они быстро вянут, не успеешь нарисовать, остаются георгины да анемоны. И снова Мадам прочла его мысли: со следующего же дня в дом стали приносить из сада Барриеров снопы гладиолусов и охапки гвоздик, для георгинов был еще не сезон, анемоны тоже цветут не раньше Пасхи. Гладиолусы отцу не понравились, от гвоздик он отказался наотрез: только не гвоздики, они приносят несчастье. На это Мадам сказала:

— Что за чушь! Цветов, которые приносят несчастье, не бывает! Посмотри на Барриеров: у них целые плантации гвоздик, а разве они несчастливы?

В самом деле, Барриерам всегда везло на удивление, сколько раз гоняли на машине пьяные вдребадан — и ничего!

Когда моя мать, прожив с отцом семь лет, ушла, Ида, знавшая, что он не может жить один, познакомила его с этой чернявой южанкой из хорошей семьи, которая пришивала перья к шляпкам у лондонской модистки. Наверное, она показалась ему красивой, мягкой женщиной. В смысле красоты — спору нет, она красива, а что до мягкости... просто до поры до времени она не показывала когти. Но очень скоро превратилась в форменную мегеру и дошла до того, что наглухо замуровала дверь в комнату падчерицы. Ида, которая сама ввела ее в дом, теперь кусала себе локти.

Она была родственницей российского сахарного короля Б., отец же был, можно сказать, помешан на сахаре. Помню, в Венеции, у «Флориана», он щедро раздавал чаевые и платил наличными оркестру, но сгребал со стола весь сахар до последнего кусочка, мне было ужасно неловко, но что делать — ведь это мой папа. Как только он узнал, что новая знакомая — родня крупнейшего сахарозаводчика, тут же загорелся мыслью жениться на ней. Ида передала мне его слова: «Видели бы мои родители, на ком я женюсь! Они бы мной гордились...»

Родись эта деревенщина не на выселках, а в самой России, она бы знала, что гвоздики там считаются несчастливыми цветами. Этот предрассудок связан с театральным миром. При царе господа, посещавшие актрис и танцовщиц, гвоздики преподносили только статисткам и дебютанткам, а розы — звездам балета, примадоннам; если же они снова начинали получать гвоздики, это означало закат карьеры.

Отец писал и писал гладиолусы, но «роллс» у него так и не появился. Он написал десятки букетов, оставаясь при своем «пежо», Эме же тем временем продал «сильвер-клауд» — такой уже был у всех — и пересел на «бентли», Маргерит отказалась называться Гигит и утратила провансальский акцент, а Барриеры спустя несколько лет все-таки загремели под откос на крутом повороте дороги в Ла-Коль с полным грузовичком гортензий.

Плафон Оперы

Когда в шестидесятые годы министр культуры Франции предложил отцу расписать плафон для Оперы Гарнье, он согласился при одном условии: чтобы роспись была съемной. И сделал съемные панели-сегменты, похожие на огромные ломти сыра бри, которые сначала крепились на рамах, а потом были смонтированы наверху. Я понимаю, сравнивать этот знаменитый, быть может, самый знаменитый в мире после Сикстинской капеллы, плафон с куском сыра, пусть даже гигантским, довольно дерзко, но я сам присутствовал при том, как собирали и монтировали это произведение, и оно, на мой взгляд, так же вещественно, как какой-нибудь яблочный пирог или пицца.

На торжественное открытие обещал прибыть из Елисейского дворца генерал де Голль, он и сопровождающие его лица должны были разместиться в специальной ложе, отведенной для глав государств. Сознавая всю важность события, Мадам раскошелилась и послал отца купить новую рубашку. Все прочие его рубашки были клетчатые, словно выписанные из канадской лавочки, и годились для загородных прогулок, но не для официальных церемоний; конечно, художнику все прощается даже при генералах, однако Мадам считала, что ему следует сделать хотя бы минимальное усилие над собой.

И вот мы с папой отправились в магазин — потому что мне тоже нужна была рубашка. Президент крайне редко выезжал из своей резиденции, и негоже нам было выглядеть по-мужицки, правда, мы и есть мужики, сын да внук витебского разнорабочего с селедочного склада, но, как говорил папа, к счастью, рядом с нами она — родня сахарного короля, принадлежащая к крупной буржуазии, еврейской, но очень крупной.

Идем вдоль витрин, где выставлены мужские рубашки, для подростков тогда были в моде такие, с круглыми воротничками и галстуками с заколками, я приглядел одну, просто отличную, но владелец магазинчика стоял перед дверью, а папа всегда был непоколебимо уверен, что только плохой лавочник может вот так прохлаждаться, иначе он стоял бы внутри, за прилавком, и продавал свой товар. Мы пошли на улицу Риволи, но и там была та же картина: все лавочники стояли снаружи, и не потому что были плохими торговцами, а потому что боялись проглядеть что-нибудь сногсшибательное, вроде старта велогонки Париж — Монблан — Париж или парада юных барабанщиц из Бад-Годесберга, но папа и слышать ничего не желал.

По парадной лестнице, меж двух шеренг почетного караула республиканских гвардейцев отец прошествовал в пиджаке и темно-синей, красивого глубокого тона рубашке с тонкой фиолетовой бабочкой, быть может подаренной Максом Жакобом, который на всех фотографиях изображен точно в такой же. В ложе отец сидел по соседству с мадам де Голль, одетой со строгим изяществом; говорят, что рядом с ней, с самим президентом во фраке, при красных лентах и золотых орденах, и собственной супругой, облаченной в черное, как вороново крыло, платье, он смотрелся изумительно.

Я же ютился на галерке. Модную рубашку с круглым воротничком я все-таки выпросил, отец в конце концов сторговался с лавочником — в квартале, где это происходило, принято было торговаться. Должно быть, магазин внушил отцу доверие своим названием: «Самолетная ткань», так или иначе, это была великолепная рубашка, а к ней клетчатый галстук с заколкой, как у всех моих сверстников, которые собирались по субботам в кафе на Елисейских полях, правда, я ходил не туда, а в «Гольф-Друо», где играли рок-н-ролл, а главное, было не так дорого.

Успех был грандиозный. Отец запомнил этот вечер надолго, и на картинах той поры нередко возникает фасад Оперы. Он всегда был чувствителен к почестям, но тот день, мне кажется, был одним из лучших и величайших в его жизни, и он, наверное, думал о своих родителях, как я о нем, когда несколько лет назад проходил мой единственный сольный концерт в «Олимпии».

Стоит ли говорить, что, послав последнюю улыбку последней важной персоне, Мадам села в лимузин, поехала на улицу Монтеня и разбудила консьержку в фирме «Диор», чтобы сдать взятое у них напрокат платье, а потом отослала и машину. Нас после этого она пилила еще дней десять. Видимо, о сахарных заводах Б. никто не вспомнил.

На плафоне, как известно, изображен хоровод аллегорических фигур: пение, танец, разумеется, музыка, каждая выполнена в своем цвете. Для эскизов нужно было красить фоны, это было поручено мне — как раз наступило лето, и я проводил каникулы в «Холмах». Поскольку выдумка с летучими листками уже не работала, отец изобрел другую хитрость — «воднолыжный ящик». Название связано с разыгравшейся у нас однажды сценой: мне захотелось прокатиться на водных лыжах и я попросил у Мадам денег.

— А сколько это стоит? — спросила она.

— Одна прогулка семь франков.

— Что ж, все очень просто. Ты каждый день получаешь по франку на питье, так вот, попей семь дней обыкновенную воду, около «Нептуна» есть кран. В конце недели как раз наберется семь франков.

Наш разговор услышал отец, он повел меня в мастерскую и показал выдвижной ящик, в котором лежали сотни мелких монет — он не любил, когда в карманах бренчала мелочь, и выкладывал ее в этот ящик.

— Когда тебе понадобится семь франков, бери отсюда, но помни, ни сантимом больше!

Нужно тебе купить какую-то вещь за три франка двадцать сантимов — бери три франка двадцать сантимов. Про этот ящик знаем только ты да я, возьмешь, вместо трех двадцати, четыре франка — он для тебя закроется.

Однажды я сплутовал. Взял двадцать шесть франков на блузку для Даниель, которая стоила всего пятнадцать, и в следующий раз ящик действительно оказался запертым. До сих пор не могу понять, каким образом отец мог быть в курсе цен на женские блузки.

Вскоре он принялся за большую картину на цирковую тему. Точного размера не скажу, метров, наверное, восемь на пять, да еще он все время то обрезал холст, то прибавлял новые полосы, так или иначе, это было одно из тех огромных полотен, которые он так любил писать. Этот не слишком крупный человек обладал колоссальной силой. Всю жизнь, чуть ли не до ста лет, он работал каждый Божий день с утра до вечера и все время стоя; как-то раз, незадолго до его смерти, я проводил воскресенье в Сен-Поле и недостаточно проворно посторонился, чтобы пропустить его вперед к столу, он оттолкнул меня рукой, да так, что я чуть не упал.

В правом углу громадной поверхности он задумал большое синее пятно, на котором собирался разместить множество фигур, а поскольку покрывать краской добрых два квадратных метра холста ему, как обычно, было скучно, то он поручил это мне. К тому времени я уже соображал, что любому другому за такую работу полагалось бы заплатить, а потому растянул удовольствие на целый день, водил кистью медленно, со вкусом, не спеша, и насквозь пропитался скипидарным запахом; подозреваю, что художники протирают по вечерам лицо скипидаром, как другие лосьоном после бритья, чтобы привлечь падких на богему девушек. Это был на редкость счастливый для меня денек, за которым последовала мучительно долгая для отца неделя — раз десять на дню он подходил пощупать холст. Наконец краска просохла. Тогда он приготовил угольные карандаши, зажал их в кулаке, как букет, сел в широкое плетеное кресло и долго сосредоточенно смотрел на синее пятно, сощурив глаза и покусывая губы. Ждал озарения. Пикассо не без иронии говорил: «Я не ищу, а нахожу». — «А я просто жду», — с притворной скромностью отвечал отец. Я часто видел его замершим перед пустым холстом, над чистым листом бумаги или картона, он держал наготове уголек и крошил его пальцами. А потом вдруг начинал рисовать. И дело продвигалось очень быстро. Перехватывая уголь по мере того, как он стачивался, он проводил прямые линии, набрасывал круги, квадраты, ромбы, овалы, выстраивая какую-то структуру, обозначая точки опоры, и из этого, казалось бы, беспорядочного нагромождения рождалась гармония, появлялись клоун, жонглер, лошадь, дядя-скрипач, зрители кричали, жонглеры жонглировали, круги превращались в мячи и обручи, целый цирк оживал под волшебным углем. Тогда он пятился назад и в изнеможении снова опускался в кресло, свесив руки, как боксер в конце раунда.

Если когда-нибудь вы остановитесь перед этой картиной, вспомните о поденщике, страшно гордом тем, что хоть как-то оказался причастен к творчеству одного из величайших художников нашего времени, чей гений продолжал творить чудеса еще три десятка лет после той истории с почти незаметным в готовом произведении пятном.

Остров Сен-Луи, пульмановские вагоны и дешевые ресторанчики

Берясь за такие гигантские заказы, как стенные панно-близнецы для Метрополитен-оперы, отец делал их у себя в мастерской, единственным исключением были декорации для Игоря Стравинского, которые он выполнял, когда жил в Америке*. Готовые полотна перевозили на место скатанными и упакованными в картон, а там уже разворачивали и укрепляли на рамах точно так же, как было с плафоном Оперы Гарнье, сам мэтр приходил только один раз, когда все было собрано, — живопись на полотне позволяла такое. Работа же над иерусалимскими витражами происходила в Реймсе, очень далеко от мастерской в Вансе, без которой отец не мог обойтись. Вообще, ему страшно нравились поездки в ком-

---

* Существует много произведений, над которыми Шагал работал за пределами мастерской: панно для парижской Оперы, витражи, гобелены, керамика, печатная графика и т. д.

фортабельных пульмановских вагонах, темно-синих с золотой полоской в английском вкусе и с табличками «Париж — Вентимилья» над каждой дверью. Поезд отходил с Лионского вокзала. Отец усаживался за столик в вагоне-ресторане, перед лампой с розовым абажуром, он обожал вокзальный запах: смесь влажного пара с горелой бумагой; даже сейчас, когда пар давным-давно заменило электричество, запах каким-то чудом продолжает сохраняться. Но для работы надо было таскать с собой слишком много таких вещей, с которыми в поезд не сядешь, а Огюст и его машина были уже староваты, чтобы постоянно ездить взад-вперед. Переезды утомили и отца, так что было решено купить квартиру в Париже на набережных, окнами на север — художники любят рассеянный свет с севера. Квартира была отличная — она занимала весь третий этаж в доме без лифта, по адресу набережная Анжу, 13, в двух шагах от старинного особняка Лозен, давно стоявшего полуразрушенным — в то время увлекались «новым Парижем», удобным для автомобилистов, — нелепая идея Помпиду, в угоду которой едва не изуродовали полгорода.

Из окон открывался прекрасный вид: плакучие ивы над Сеной, проплывающие под мостом Сюлли баржи. Внутри все белое, от пола до мебели, которой было очень немного, что-что, а вкус у Мадам безукоризненный. А потом вдруг — трах-тарарах! — все в столице перевернулось вверх дном: построили здоровенную башню Монпарнас; Эйфель, тот, как мой отец, предпочитал разборные конструкции, а помпидушным архитекторам подавай все монолитное! — выкопали на месте старого рынка Аль огромную ямищу, с которой еще десять лет не знали, что делать, даже фильм про индейцев там снимали; напротив набережной Анжу тоже все разворотили и построили Дом художников — мастерские в нем снимали только те, чьим картинам не грозит перспектива висеть на музейных стенах; баржи больше не ходят, старый мост, соединявший острова Сен-Луи и Сите, заменен новым, а в довершение всего вдоль реки прокладывают шоссе, выкорчевывают ивы, цементируют, асфальтируют — и прямо перед окнами красуется теперь скоростная трасса имени Жоржа Помпиду, пропускная способность — две тысячи машин в час. От всего этого у Мадам пошатнулось здоровье. Врачи списывали ее состояние на больную печень, злые языки болтали, будто я в то время стал анонимно присылать ей коробки шоколада — гнусная клевета!

Так что когда я раз в две недели, как дозволял распорядок моего чертова коллежа, вырывался к отцу на выходные, мы с ним в кои-то веки обедали вдвоем. Когда это случилось впервые, мы пошли в ресторан Божоле, который нам обоим очень нравился. Чтобы посетителям было чем заняться в ожидании заказа, там выставляли на каждый столик сооружение, похожее на виселицу, на котором были подвешены копченые колбасы разных сортов, а мы с отцом обожали сухую колбасу. Обычно хозяин следил за нами с озабоченным видом, не из-за колбасы, а из-за скатерти: Мадам не ела колбасу, но забирала бумажную скатерть, на которой отец что-нибудь рисовал — у него всегда была наготове парочка пастельных карандашей. Однако в тот день Мадам с нами не было. Хозяин и сам был не промах и отлично понимал, что рисунки, которые с руками оторвет сосед-букинист, куда ценнее ломтика салями или лионской отборной. Мадам, расплатившись, преспокойно складывала скатерть и прятала в сумку. И вот наконец-то супруги мэтра нет, а он наверняка так делать не станет, он и на жену-то каждый раз ворчал, нет, сам он только сгребет весь сахар. Какая удача! Улыбка хозяина становилась все шире, по мере того как ширился рисунок на скатерти. Вот уже солонка превратилась в маяк посреди бурного моря, населенного разными зверями и сиренами с рыбьим телом, — замечательно, превосходно! — хозяин не отрывал от скатерти жадных глаз, отцу стало противно, и он протянул один карандаш мне, чтоб я рисовал с ним вместе. Я нарисовал кораблик с дымом из трубы, потом еще один с капитаном, голову Микки-Мауса рядом с одной из сирен — словом, в одну минуту все было испорчено и месье Божоле возненавидел меня всей душой.

Иногда мы переходили на другую сторону Сены и шли на улицу Розье, где можно было купить копчености и соленья, какие едят в Центральной Европе, впрочем, отец уверял, что таких, как в Бруклине, «У Бени», нигде больше нет, но до Бруклина было далековато. И мы шли в рабочий кабачок на улице Сен-

Луи-ан-л'Иль, там всегда прилично готовили, однако повести туда Мадам он бы, конечно, никогда не посмел. В кабачке всегда было полно народу, каменщики, маляры в заляпанных комбинезонах попивали кофе у стойки, а мы стояли рядом и ждали, пока освободится столик. Меню было написано мелом прямо на зеркале, в тот день, который мне запомнился, подавали телячье рагу. На папе была бархатная куртка, небольшой берет, как у Огюста, и, разумеется, клетчатая рубашка. Он ничем не выделялся среди других посетителей ресторана. Место нам нашлось очень быстро. Двое рабочих за соседним столиком посмотрели на папины руки в пятнах краски — он говорил, что они пропитались до костей. В свои семьдесят с лишним лет он излучал такую энергию и жизненную силу, что его легко можно было принять за маляра-отделочника.

— Работаете где-нибудь поблизости? — спросил один из рабочих.

— Обновляю плафон в Опере, — ответил отец, принимаясь за крутое яйцо под майонезом.

Бомбы, раввин
и нечистые сандвичи

По всему Парижу взрывались бомбы, де Голль собирался рвануть свою, чтобы выйти из НАТО и отомстить за унижение, которое вытерпел в Ялте. Алжир, по эвианскому соглашению, получил самостоятельность, но полигон в Реггане* остался за Францией, там-то он и запустил свою петарду назло Черчиллю, Рузвельту и Сталину, которым было на это наплевать, поскольку они давно скончались.

Всюду было неспокойно. Особенно в Девятом округе, где я жил у родителей моего приятеля Жерара на улице Тэбу. Однажды вечером зазвонил телефон — это была она, Мадам, Черная Пантера. По ее словам, отец хотел, чтобы я прошел бар-мицву, иудейский обряд посвящения. Он говорил об этом с почтенным раввином Капланом, и я должен был

_____

* 13 февраля 1960 г. на полигоне Регган в Сахаре была взорвана первая французская ядерная бомба.

быстренько выучить иврит. Нас с Жераром приглашали к этому раввину в субботу в полдень отмечать шабат, звонить в дверь нельзя, в шабат это запрещается, а надо покричать с улицы, и кто-нибудь откроет, кто-нибудь из неевреев — им можно.

Нельзя сказать, чтобы отец был особенно религиозен. Он не ладил с ортодоксами, потому что изображал на своих картинах человека, созданного по подобию Бога, а Его, как известно, изображать запрещено. Когда я подарил один из отцовских барельефов Старому Иерусалиму, его накрыли отвратительным плексигласовым футляром, чтобы, как мне сказали, уберечь от чернил, которыми могут облить его фанатики. Фанатики всех мастей одинаково опасны.

Папа каждый день читал перед сном Библию и сделал к ней прекрасные иллюстрации, считая, что раз Господь дал ему талант всё рисовать, значит, он может рисовать всё. Он никогда не водил меня в синагогу и говорил: «Лучше обращаться к самому Господу, а не к его приказчикам». Идея обратиться к старшему приказчику Каплану явно принадлежала не отцу, а Мадам; то ли она надеялась, что я подорвусь на бомбе «активистов», как называли тогда оасовцев*, раза три-четыре со старым раввином уже пытались разделаться таким образом, то ли на Лазурном берегу снова стали покупать землю благоверные — старые планы сделать из меня архитектора, а я все не решался признаться, что хочу играть в джазе. Папа любил Моцарта, но не исключено, что джаз он тоже хоть немножко любил, потому что любил Трене — как-то раз они встретились в аэропорту, и папа сам ему об этом сказал, — а Трене иногда пел в джазовой манере.

Около одиннадцати вечера по телевизору выступил премьер-министр; растерянный, плохо выбритый, он объявил согражданам, что четверо генералов захватили власть в Алжире и собираются ночью высадить войска в Виллакубле, на военном аэродроме недалеко от Парижа**. Премьер призывал всех взять буквально что попадется под руку: палки, ножи — и выйти на улицу защищать Францию.

_____

* ОАС — тайная организация фашистского толка, действовавшая во Франции во время войны в Алжире.

** Речь идет о неудавшемся путче четырех генералов, противников линии де Голля на предоставление независимости Алжиру, в апреле 1961 г.

И вот мы втроем, Жерар, его отец и я, вышли на защиту Франции в одних рубашках, потрясая кухонными ножами, которыми не разрежешь и огурца. Такого в Париже не видели со времен Освобождения. Машины разъезжали, как хотели, в основном против правил; понятно, грех не воспользоваться таким редким случаем: не каждый день бывает гражданская война. По улицам бегали люди, вооруженные самыми разнообразными предметами: вилами, мясорубками, коловоротами, монтировками, граблями и лопатами, — граждане выполнили приказ, похватали что попало под руку. Разумеется, открылись кафе, все грелись крепкими напитками, а разогревшись, засыпали на дерматиновых банкетках. Проснулись мы от случайного выстрела из карабина, с тяжелой головой, и тут же выяснилось, что ни один преступный генерал и ни один солдат-изменник не высадились в Виллакубле, французская армия, верная Массю* и еще больше де Голлю, и не подумала покидать казармы.

---

* Массю Жак — командующий французскими войсками в Алжире.

В следующую субботу мы с Жераром, оба в выходных костюмах, явились к Каплану, кляня генералов за провал. Выгори их затея — это было бы нам на руку, да и последствия могли бы оказаться забавными: имели бы мы сегодня президента-араба. Легко: де Голль прекрасно понимал, что после изменения конституции ему пришлось бы договариваться с алжирцами, которые в обмен на немедленное прекращение военных действий могли бы потребовать избирательных прав и получить их. Я всегда говорил, что в жизни нашего генерала сыграли огромную роль минеральные воды: Виши, Эвиан. Дальше ясно: к концу века жители Магриба составили бы большинство населения страны, проголосовали за кого-нибудь из своих, и готово дело — 14 июля берберская гвардия заткнет за пояс наших легионеров, на приеме в Елисейском дворце будут подавать газельи ро́жки* и фаршированные финики, а все парижане превратятся в лотофагов.

Дом раввина был обложен сотнями мешков с песком, его караулили очень внуши-

---

* Марокканская сладость, похожая на круассаны с миндальной начинкой.

тельные охранники. Мы с Жераром трижды прошли мимо ворот, прежде чем решились остановиться, собрались с духом, подняли головы и проблеяли придушенными голосами, глядя на окна второго этажа: «Месье Каплан, это мы!» Тут же с ружьями наперевес подскочили охранники: парочка, что и говорить, была подозрительная, хоть и сопливая: обоим лет по тринадцать, шеи перетянуты нелепыми бабочками, на голове у каждого яркая кипа́, у меня синяя, у Жерара красная, — его матушка продумала все детали. Наконец вышел привратник и провел нас к хозяину. Внутри у стен тоже громоздились чуть ли не на высоту человеческого роста мешки — ни дать ни взять траншея на поле Шмен-де-Дам*. Антураж впечатляющий: повсюду горят свечи, сам Каплан в молитвенном одеянии — талесе. Он коротко поздоровался с нами, привратник помог нам вымыть руки: открывал и закрывал краны, поскольку мы не должны были прикасаться ни к каким устройствам. Однажды в тель-авивской гос-

---

* Имеется в виду проигранная французами 16 апреля 1916 г. битва у Шмен-де-Дам под Суассоном.

тинице я увидел надпись: «Шабат-лифт» и из любопытства сел в него. Это оказался самый обыкновенный лифт, но он беспрерывно ходил вверх и вниз целые сутки, останавливаясь на каждом этаже, причем двери открывались и закрывались сами: двери открываются — пауза — двери закрываются и так далее... если вы что-то забыли в номере и вам надо подняться на шестой этаж, на это уйдет добрых четверть часа.

Мы прошли в столовую. На столе — зажженный семисвечник-менора, и уже расставлены все обеденные блюда, от закусок до десерта. После очень длинной, проникновенной молитвы на иврите мы выпили по рюмке крепчайшей водки, и я отключился. Помню только, что уже на обратном пути мы зашли в бар «Бальто» около Трините и съели для протрезвления по сандвичу с маслом и ветчиной — некошернее некуда! Наверное, туда же зашел глотнуть пивка привратник и настучал на нас Каплану, а он написал возмущенное письмо Мадам: это же прямое оскорбление, ни о какой бар-мицве не может быть и речи, так что теперь из-за рюмки водки и пары нечистых сандвичей я попаду в ад.

Не лучше ли оставаться искренним, хоть и нарушая букву Закона, и обращаться к Господу, а не к его приказчикам, какой бы неканонической ни казалась такая форма религиозности?

Коллеж, «понтиак», Рембо и Бодлер

Жерар, мой товарищ по несчастью, тоже учился в коллеже Монсель. Это был пансион полувоенного типа, который помещался на территории бывшей фабрики Оберкампфа, изобретателя знаменитого жуисского полотна. Почему-то там был похоронен Леон Блюм и с ним кто-то еще, чьи имена были высечены на осененном двумя знаменами — праздничным и на каждый день — обелиске, золотые буквы на нем стерлись, камень зарос мхом, у подножья пробивались чахлые цветочки.

Место было довольно красивое, с большим парком, солоноватым прудом и двумя теннисными кортами, их показывали родителям, но по каким-то причинам никогда не использовали по назначению. Дежурная угроза наших воспитателей звучала так: «Лоботрясам одна дорога: к Рено на конвейер». Лично мне нравились машины, и я предпочел бы попасть к Рено, чем корпеть в этом проклятом коллеже. Как-то раз одного старшеклассника поймали на месте преступления — в кустах с деревенской девчонкой, и тут же с позором отчислили за разврат. Всю школу выстроили у памятника погибшим в Первую мировую, под парадным знаменем, как всегда в особо торжественных случаях, и когда директор, при галстуке и крахмальном воротничке (обычно же он был похож на альпийского дровосека, вываливающегося из винного погребка), объявил нам: «Господа, ваш товарищ работает теперь у Рено», — я был очень рад за провинившегося.

В семь часов утра нас будил душераздирающий вой сирены, сохранившейся с последней войны, — верно, ее звук отлаживал какой-нибудь фашистский изувер, когда в нашем главном здании, в «Замке», располагался немецкий штаб. На другой стороне огромного газона, служившего нам футбольным полем, стоял мрачного вида блокгауз, позднее в нем открыли какой-то роскошный выставочный зал, но внешне он ничуть не изменился. По всему парку валялись гильзы, ржавые ружья и штыки — следы ожесточенных боев. Может, соседние корпуса с романтичными названиями «Родник» и «Шале», в которых пытали подпольщиков, и подсказали нашему директору, швейцарцу родом, идею устроить тут коллеж с почти гестаповскими порядками; небось у него на родине ни одно учебное заведение не одобрило такой педагогики, и для удовлетворения своих нацистских склонностей ему пришлось уехать за границу. У нас в библиотеке имелась даже «Майн Кампф». Распорядок дня был примерно такой: вскочив по сирене, мы одевались. С умыванием обстояло плохо, душ работал один раз в неделю, а из крана текла только холодная вода, мыться ею в промозглых помещениях не хотелось, так что все ходили грязными. Зубных щеток не водилось, носки меняли раз в месяц, и это никого не волновало. Впрочем, в ту пору, кажется, никто во Франции не мог похвастаться чистотой. Линейка, рапорты, подъем флага, потом немногих счастливчиков вызывали в медкабинет, где сестра устраивала им Дьенбьенфу*; уколы и прочие процедуры были не для слабаков, но остальным приходилось еще хуже. Они совершали пробежку по парку, в любую погоду, зимой и летом, на пустой желудок,

---

* В сражении при Дьенбьенфу (1954 г.) французская армия потерпела поражение от войск вьетнамского сопротивления.

это была мука мученическая. Потные, запыхавшиеся, мы вваливались в столовую, на завтрак отводилось десять минут, кто прибегал первым, сметал свежий хлеб с маслом, я же, хоть и срезал дорогу, где мог, всегда оказывался в хвосте, так что мне доставались черствые куски и остывший кофе, с тех самых пор я ненавижу пешие прогулки. Перед звонком на уроки надо было еще успеть заправить постель, этот звонок, хоть и не отличался благозвучием, все же был райской музыкой по сравнению с сиреной. Нашим учителям, утомленным жизнью, давно пора было на пенсию. Когда позднее я захотел перейти в лицей, меня, по особой договоренности, взяли туда, но с условием, что я потеряю один год. Вдобавок этот коллеж был еще и очень дорогим. Мадам, вероятно, хотелось бы найти пансион подешевле, но в то время почти все они были католическими, некрещеного ребенка туда бы не взяли. До обеда мы отсиживали несколько длинных и скучных уроков, а в обед в столовую набивалось триста человек, в том числе особо оголодавших — тех, кто плохо бегал утром. Кормили неплохо и довольно вкусно — эту трапезу мы разделяли с преподавателями. Другое дело ужин, когда оставались одни ученики. После обеда — опять уроки, потом домашние задания, перемещались мы по коллежу только шагом и только группами, бегать запрещалось, а пойти куда-то в одиночку можно было только по письменному разрешению. До семи мы занимались, потом ужинали и расходились по дортуарам. И вот тогда-то начиналось самое худшее. В девять — проверка, все по стойке «смирно», а затем наступал черед «стариков», то есть учеников постарше, которые, согласно традиции, идущей от британских морских или колониальных школ, наделялись некоторыми полномочиями. А дети, получив власть над другими, становятся хуже, жесточе взрослых, щедрее на придирки и наказания. Они могли перевернуть постель, выпотрошить шкаф или тумбочку, и надо было все собрать за считанные минуты. Не успел — начинай все сначала да еще получай, стоя навытяжку, несколько затрещин или отжимайся в наказание. Физически более крепкие ребята, а также те, кто был посильнее в математике и давал списать задание, кто приносил из домашней побывки побольше сладостей и делился ими со «стариками», от таких издевательств были избавлены, но я к их числу не относился, да и не стал бы заискивать и откупаться, даже если бы имел возможность. Наконец «старики» уходили и можно было лечь спать, но тишина наступала нескоро — когда много детей тихо плачут, получается довольно громко.

Фотограф-бельгиец заболел, как говорится, долгой продолжительной болезнью, целых одиннадцать лет он умирал от рака. Между тем, будучи еще и недюжинным музыкантом, директором брюссельского Дворца искусств, он успел выучить меня сольфеджио. Папа любил Моцарта, Шарль — Вагнера, а мама заводила мне Дюка Эллингтона. В результате я получил довольно эклектичное музыкальное образование, но больше всего пристрастился к биг-бенду Дюка, мечтал играть, как Кути Уильямс, первый трубач его оркестра, и даже попросил у Гигит, всегда делавшей мне подарок на Рождество, золотую трубу, настроенную в си-бемоль, — есть еще серебряные, на до, те для классики, для Моцарта и Вагнера, хотя большой разницы нет, позже я писал об этом:

Будь ты хоть Моцарт, хоть Колтрейн,
Наш добрый блюз на все годится...

Чувствуя, что конец приближается, Шарль пожелал вернуться в Бельгию, и они с мамой переехали туда. Я же остался в ненавистном колледже, где мне было еще хуже, чем другим, — они-то могли видеться с родными по воскресеньям и раз в две недели ночевать дома. Мне же, что до Брюсселя, что до Сен-Поля, было слишком далеко ехать ради одного уик-энда, так что я виделся с родными три раза в год: на Рождество, на Пасху, а потом уж только летом. Свободные дни я проводил у родителей Жерара, они были ко мне очень добры, но даже самые добрые люди не могут заменить семью. За все шесть лет учебы в коллеже у меня сохранилось только два приятных воспоминания: как однажды в воскресенье меня навестила сестренка Джин, которая приехала на поезде и привезла кучу бутербродов, и как в другой раз посреди недели прикатили на «понтиаке» папа с Эме; вообще-то такие неурочные визиты были строжайше запрещены, но улыбка фавна и красноречие его маршана обворожили нашего директора, и он разрешил взять меня с уроков.

Когда отец и Эме вырывались куда-нибудь вдвоем, они вели себя, как мальчишки, дурачились, смеялись и были страшно довольны тем, что они вместе, далеко от жен, от забот, хлопот... да и от картин; как знать, может, лучший отдых для художника и маршана — это просто глядеть на белую стенку! Сначала мы отправились в ресторан пообедать. Аппетит у них обоих был отменным, я до сих пор помню этот пир. Заказали для всех одно и то же: печеные улитки, категорически запрещенные отцу из-за сливочного масла, и здоровенный шатобриан*, тоже запрещенный из-за жирного соуса беарнез, заели все это мороженым с цукатами и запили черносмородиновым ликером. На выходе меня пошатывало. Коллеж располагался недалеко от Версаля, и мы решили прогуляться по парку. Была осень, кроме нас, в аллеях почти никого не было, Эме принялся читать стихи.

Он помнил наизусть чуть ли не всю французскую поэзию, читал Рембо, Бодлера. Я, знавший только то, что задавали в коллеже, был восхищен, папа тоже — он сидел на бетонной парковой скамейке, упоенно закрыв глаза

_____

* Особым образом зажаренный бифштекс, изобретение повара знаменитого писателя Рене Шатобриана.

и качая головой. На обратном пути ехали еле-еле, под урчанье восьми цилиндров «понтиака», и добрались до коллежа лишь к вечеру. В тот день я отказался от ужина и в кои-то веки заснул с улыбкой, а Рембо, Бодлера, «понтиаки», мороженое с цукатами и шатобрианы полюбил на всю жизнь. Настало время, когда все мои одноклассники перешли в лицей, где лучше готовили к экзаменам на бакалавра, мне же было некуда деваться: ехать в Сен-Поль или вообще куда-нибудь в те края я не мог, хотя там хватало пансионов, тогда я обратился за помощью к маме. Шарлю стало лучше, наступила короткая ремиссия, и мама согласилась, чтобы я жил с ними; я тут же собрал свои пожитки в клеенчатый чемоданчик и перебрался из Версаля в Брюссель. В их крохотной квартирке нам было не поместиться втроем, и мне сняли комнату с умывальником над лавкой торговца птиц; каждое утро меня будило в пять утра пение канареек, зато я жил дома, хотя и чуточку страдал от одиночества.

Иерусалимские витражи

Во французском лицее в Брюсселе мне было очень хорошо. Во-первых, потому, что я повторял предпоследний класс и мне почти что нечего было делать, а во-вторых, потому, что классы здесь были смешанные. В моем злосчастном коллеже я видел только мальчиков или взрослых мужчин, а теперь вдруг словно попал в землю обетованную! Каждое утро я садился в пятнадцатый трамвай у Намюрской заставы, к девяти прибывал на остановку Миди, прямо в Ханаан, и входил во двор, где было много девочек: красивых, уродливых, а по большей части просто смазливых — какая разница, главное, полный двор девчонок! В общем, мне и лицей, и двор понравились, а вот сам я пришелся не ко двору, и меня самым вежливым образом попросили больше не приходить, хотя не отчислили до самого конца года. Я был трубачом в школьном оркестре и пошел играть в джаз, а отцу, по совету Иды, ничего не сказал.

Отец был уже стар, Ида не хотела его расстраивать и была права — пусть спокойно работает. Мадам делала все, чтобы мы с отцом не виделись, а я, дурак, думал, что это его воля. В последний раз мы с ним провели вместе несколько дней в Реймсе у мастера-витражиста Шарля Марка, когда отец приступал к работе, которую называл самым крупным художественным проектом в своей жизни, — к созданию двенадцати витражей, по заказу из Иерусалима. Несколько представителей медицинского центра Хадасса на Масличной горе посетили в Париже большую ретроспективную выставку отца и пригласили его сделать витражи для строящейся в новом комплексе синагоги. Отец предложил расположить квадратом двенадцать витражных окон, представляющих колена Израилевы, каждое своего цвета: колена Рувима, Симеона, Вениамина и Дана — в синих тонах, Иуды и Завулона — в красных, Левия, Неффалима и Иосифа — в желтых и, наконец, Гада, Асира и Иссахара — в зеленых. Он уже пробовал себя в технике витража и, по мнению Марка, превосходно ею овладел; в пятидесятые годы доминиканцы из монастыря в Асси заказали витражи нескольким знаменитым художникам, результаты этой затеи были довольно сомнительные: каждый мастер работал по-своему и чего-то цельного и гармоничного не получилось.

И вот отец вернулся из Иерусалима, куда ездил изучать свет и колорит, он был в восторге от того, как все складывалось, и позвал меня на несколько дней; Мадам в то время лечила свою печень где-то на озере Констанс или в Бад-Годесберге, так что нам никто не мешал. Это было волшебное место. Мастерская погружена во мрак, а солнечный свет снаружи зажигает разноцветные витражи. Папа уже работал гризайлем, жидкой однотонной краской, с помощью которой наносят тень на цветные стекла. Но чувствовалась в отце какая-то отчужденность, какой-то холодок. «Чистый англичанин!» — говорил он, косясь на мой блейзер. В его устах это звучало как осуждение. Он не делал разницы между шотландцами и англичанами, а имя Мак-Нил, которое я ношу, принадлежит человеку, долго не дававшему развода моей матери; когда он наконец согласился, она уже ушла от отца.

Я превратился из мальчика в подростка, а подростки быстро взрослеют, и художники теряют к ним интерес. Еще когда я был младенцем, отца пугал взрослый парень, которым я когда-нибудь стану и который, как он говорил, «будет пить и курить» — вон Пикассо мучается со своим сыном Паоло, жандармы чуть не каждый вечер приводят его домой пьяным! По мере того как я рос, отец маленькими шажками от меня удалялся. Из Реймса я поехал в Лондон к сестренке Жанетте, снова ставшей Джин, там открыл для себя Майлса Дэвиса и распростился с трубой — она до сих пор лежит в футляре. Я стал искать что-то такое, чего не делал бы никто другой, и начал писать песни; песня, хороша она или плоха, всегда уникальна. Много позже, когда я все же понял, что мосты разрушил не отец, то написал одну песню для него, в надежде, что когда-нибудь он ее услышит, ведь он часто включал радио в мастерской. Когда бывший бас-гитарист «Роллинг-стоунс» Билл Уаймен написал книгу о Сен-Поле и Шагале, отец сказал ему, что у него есть сын, который тоже поет, так что, может быть...

Ты живешь в Сен-Поль-де-Вансе,
Это Голливуд в Провансе,
От меня так далеко...

...может быть, эфирный ветер когда-нибудь и донес до него эти слова.

В конце шестидесятых я наконец побывал в центре Хадасса. Это была моя первая поездка в Святую землю. Европейца Израиль ошеломляет. Едва сойдя с самолета, сразу видишь, что эта новая страна совсем старая. Всё, начиная с конвейера для багажа, разболтано: разболтанное такси везет вас в разболтанную гостиницу, откуда вы, сполоснувшись в разболтанном душе, выходите через разболтанную дверь на пыльную улицу с разбитыми тротуарами, повсюду петлями висят провода, соединяющие неведомо что неведомо как, и самое удивительное, что все работает! Тель-Авив — настоящий муравейник, конгломерат Востока и Запада, гамбургеры вперемешку с ливанскими мезе*, веселый бардак, небесный базар, где поневоле потеряешь голову...

Витражи, вмонтированные в бетонную коробку и забранные металлическими переплетами, реют над полуподвальной синагогой. По пути туда в коридоре встречаются больные и мертвые, которых везут на каталках вдоль про-

_____

* Восточные закуски.

веденной по полу синей линии, внутри толстый служитель читает «Маарив», местный аналог «Фигаро», газета развернута на молитвенном столике; не поднимая головы, он указывает вам на большую коробку с картонными кипа́ми на скрепках. Витражи расположены так высоко, что приходится задирать голову, чтобы рассмотреть их. Я знаю, что и тут все держится кое-как, могли бы заказать синагогу Серу, гениальному архитектору галереи Мэг... ну, может, еще когда-нибудь переделают, только бы не следовали совету, который я видел нацарапанным на Яффских воротах: «Кто уходит последним, гасит свет».

Если за всю жизнь у вас будет возможность совершить только одно путешествие, поезжайте в Иерусалим взглянуть на эту синагогу, забудьте про бетон, про умирающих, про толстого служителя, сядьте и смотрите; кто-то когда-то сказал, что витражи — это лучшие перегородки между небом и землей, что ж, перед вами двери, ведущие прямо в рай.

Платье Идиной подруги

Одно время у Иды была в «Холмах» своя комната. Правда, неудобно расположенная, к ней приходилось карабкаться по старинным, крутым и узким, ступенькам, покрытым плиткой, которая летом раскалялась, а с осени делалась жутко скользкой. Зато рядом была отцовская мастерская, так что Ида могла зайти поцеловать его, не встречаясь с Мадам, которой это не нравилось. И вот оказалось, что это сооружение, прекрасно простоявшее сотню лет, вдруг обветшало и готово обвалиться. Пришел каменщик и замуровал дверь, окна и даже трубу, чтобы не мог влететь Санта-Клаус, думал я, в ту пору шестилетний карапуз. Мадам объяснила, что это сделано из предосторожности, чтобы никто не сломал себе шею, а не то, чего доброго, в «Нис-Матен» появится заметка: «Дочь знаменитого художника погибла под обломками старой пристройки, которую ее мачеха давно считала опасной».

Спустя много лет меня пригласили в Сен-Поль, и я взял с собой молодую жену, это был

149

первый и последний раз, когда мы видели новую виллу «Холм», довольно поспешно выстроенную в Гардетт, недалеко от галереи Гигит и Эме, там уже ни для кого не нашлось ни комнаты, ни чуланчика, даже мои племянники и племянницы, приезжая в гости, останавливались в гостинице. Однажды Ида пригласила свою школьную подругу. Дело было еще при Брежневе, визу нередко приходилось ждать годами, но отец был знаком с одним франтоватым поэтом, бывшим сюрреалистом, до самой смерти остававшимся сталинистом*, что не мешало ему одеваться у Скьяпарелли. Этот знакомый связался с партийным руководством, и подруге моей сестры всего за несколько месяцев выдали паспорт на недельную поездку без семьи, которая оставалась в заложниках.

Забавно, что мое первое, самое первое в жизни воспоминание связано с компартией. Когда-то папа был народным комиссаром изящных искусств или кем-то в этом роде, наподобие нашего министра культуры; в те годы он, как все его ровесники, двадцатилетние юнцы, верил, что революция несет свободу, и за-

* Имеется в виду Луи Арагон.

150

думал праздничное убранство для своего города. Улицы украсили флагами, рисунками учеников всех школ и вообще всех жителей, из окон тоже вывесили флаги, полотнища и транспаранты в честь годовщины Октября. Но затея не понравилась начальству. Отец получил нагоняй от кремлевских тупиц, со всеми перессорился и уехал из Витебска в Берлин, из Берлина в Париж, а там, поскольку нацистская Германия недолюбливала комиссаров, особенно если они к тому же евреи, новые странствия: Париж — Марсель, Марсель — Нью-Йорк, город, в котором по чистой случайности родился я и с которым отец мечтал распрощаться, едва сошел на американский берег.

Это мое первое воспоминание похоже на фотографию: большой запущенный парк вокруг дома, качели, слишком высокие для трехлетнего карапуза. Рядом валяется цветочный горшок с засохшими стеблями, кажется, левкоев — дело было осенью, — я переворачиваю его и подставляю как ступеньку. И когда наконец усаживаюсь и начинаю раскачиваться, вижу, что по дороге к дому идут три человека в длинных пальто; родители жили тогда недалеко от Оржеваля и пока не перебрались в Ванс по совету Матисса, в то время отец с Матиссом были друзьями, то есть их еще не разделила капелла.

Спустя много лет на фестивале фантастических фильмов в Авориазе известнейший бразильский писатель сказал мне, что одним из тех троих, самым малорослым, был он сам, а с ним, во-первых, тот самый поклонник Тореза и клиент Скьяпарелли, во-вторых, сын московского поэта, женатого на Айседоре Дункан, то есть родственника знаменитого Раймонда. Отец встретил их на пороге, двоим пожал руки, с третьим расцеловался по-русски, а мама крикнула: «Ужинать!» С тех пор слово «ужин» связано у меня с запахом риса, масла и тертого грюйера. Мы с сестрой Джин ели на кухне, и нам были слышны голоса из столовой. Говорили на французском, который я понимал плохо, мы приехали из Хай-Фоллза, там я начал говорить по-английски. Сын поэта тоже кое-как объяснялся на французском, а речь шла о том, чтобы отец, теперь признанный теми, кто его поносил, вернулся на родину. Это было незадолго до того, как Советский Союз захватил Венгрию, а старый лис обладал особым чутьем, оно и понятно: переживите-ка две мировые войны и революцию — тоже будете разбираться, куда ветер дует. Он улыбнулся своей улыбкой фавна и спровадил всех троих сразу после десерта, зная по опыту, что кофе мама нарочно испортит; в Россию он приехал лишь в 73-м в качества гостя.

Подруга моей сестры, в ожидании визы, заранее готовилась к поездке. Шутка ли, ее приглашала мировая знаменитость, надо было не ударить в грязь лицом. Чуть не месяц она, попеременно с соседками, стояла в очереди в ГУМ, считалось, что этот символ изобилия открыт для всех, на деле же он обслуживал только номенклатуру. Наконец подруга достала отрез материи, из которой хорошая портниха могла бы сшить платье для торжественного приема. Поезд Москва — Париж, затем Париж — Тулон — путешествие более легкое, чем путь отца в Нью-Йорк, еще два часа в машине до Сен-Поль-де-Ванса, и, наконец, аперитив в прохладной гостиной, в обществе подруги детства, легендарного художника и улыбающейся ведьмы, — наивная молодая русская скоро узнает, чему она улыбалась.

Бесовская улыбка заиграла на губах Мадам (в черноглазых женщинах часто бывает что-то бесовское) с самого нашего появления, и, как только сели за стол, я понял ее причину: скатерть и салфетки были из той же ткани, что и платье гостьи — платье, ради которого она два месяца рыскала по магазинам и которое было сшито руками какой-то русской бабушки в честь моего отца. Сам он ничего не заметил — он видел женщин, а не их наряды. Смущенная Ида делала вид, что все в порядке, я же был в ярости и не смел вытереть рот салфеткой, ну а Мадам весь обед утиралась с особым удовольствием. Разумеется, она прекрасно могла успеть сменить скатерть, но не стала этого делать, черноглазая бесовка!

После обеда папа взял за руку моего сына и повел его в мастерскую. Туда имели доступ не многие: его маршан Эме, Мадам — тут у него не было выбора, — а кроме того, все красивые женщины и, главное, все дети. Сын — моя копия, и, возможно, отцу казалось, что он ведет меня. Когда перед отъездом я пришел за малышом, то застал его сидящим за «моим» столиком и закрашивающим старыми кистями лист бумаги в синий цвет — ничего не изменилось, все было почти так же, как во времена музея для медуз, только теперь уже я сам смотрел и думал, что это хорошо.

Дорога на Могаук

Как-то в начале шестидесятых я поехал петь в Вудсток. Не выступать на фестивале, для этого я был слишком молод и не слишком известен, а просто записать две-три мелодии, которые мне хотелось бы аранжировать под кантри, во Франции этот стиль никогда не был очень популярным, если не считать кое-каких ковбойских песенок да «Stand by your man» Долли Партон, — вот, пожалуй, и все. Столица кантри — Мемфис, все корифеи живут там, однако на севере у меня был приятель со связями, к тому же Вудсток недалеко от Хай-Фоллза, а мне давно хотелось посмотреть места, где я когда-то жил, но ничего еще не мог запомнить. Фестиваль проходил в полусотне километров от небольшого городка, жители которого уже за три дня до часа «Ч» впали в панику — и их можно понять, — когда же концерты закончились, многие великолепные музыканты осели в тех краях. Так, группа Боба Дилана, соблазнившись красотами Кэтскиллза, великолепного уголка в двух часах езды от Нью-Йорка, купила себе там в лесу скромные, но комфортабельные домики. Всюду: в любом кафе, ресторане, просто баре и даже крошечном кафетерии, слышались переборы гитары, стрекотанье банджо, на каждом углу кто-нибудь на чем-нибудь да играл. По выходным в «Джойус-Лейк», самом дорогом заведении города, можно было послушать Пола Баттерфилда или Мадди Уотерса всего за кружку пива, в местную церквушку приходил по воскресеньям Пит Сигер, последний мастер подлинно фольклорной песни. Сегодня почти все они умерли или разъехались, великий Боб продал свой дом и уже не приходит на площадь поиграть в шахматы с толстяком, автором музыки к фильму «Избавление», все заполонили пошлые уличные художники и продавцы футболок, исчезли гитары, банджо и мандолины, и, думаю, никогда уже больше не будет в мире такого уголка, посвященного музам, музыке и влюбленным.

Я записывал свои песни в прекрасной студии рядом с домом звукооператора, застекленной махиной, в духе того времени. Вокруг городка до самого озера Онтарио раскинулись леса. Там встречались олени, белки, иногда даже медведи, но опаснее всего были косматые молодые люди, которые строили себе шалаши, а некоторые даже выкапывали пещеры, такие же, какие они видели «на тропе Хо Ши Мина», это были дезертиры с вьетнамской войны. По ночам они крали пищу из буфета, который Майк забывал запереть; если б он помогал им открыто, ему грозила бы тюрьма.

Запись шла без монтажа: голос, инструменты — всё, кроме фона; вокалистки записывались отдельно, после меня, петь по-французски им было трудно, и я разучивал с ними текст в транскрипции. Обстановка была веселая, домашняя, не то что скукотища парижских студий, можно было даже не закрывать окна — в крайнем случае на пленку попадет крик придурковатой птицы, которую тут называют «фредериком». На американском севере таких полно, они надоедливо орут все лето, выхохатывают что-то непотребное, похожее на «ка-кай-тут-фредерик-фредерик-фредерик», без конца, каждые три минуты. Когда-то в Квебеке мой канадский друг

Шарлебуа посоветовал мне: «Если не хочешь к осени сойти с ума, повторяй вместе с ними». Это помогает, но попробуйте запеть в монреальском парке «ка-кай-тут-фредерик-фредерик-фредерик» — повяжут и увезут в психушку. Другое дело — Нью-Йорк, здесь никого ничем не удивишь, и, если ты не просто поешь, а в придачу стоишь кого-нибудь поджидая, тебе, глядишь, еще и монетку бросят.

Вокал был любительский: одна девушка работала официанткой, другая училась в Кингстоне, ближайшем крупном городе. Им нравилось записываться на пластинку да еще лопотать по-французски, к тому же, надо сказать, в двадцать пять лет я был довольно-таки красивым малым. В отличие от профессионалок, им не надоедали репетиции, по ходу дела мы болтали о том о сем, и я рассказал, что родился в здешних краях, в Хай-Фоллзе, они хорошо знали это место и предложили мне свой «олдсмобиль», чтобы я туда съездил. На самом-то деле я родился в Бронксе, но, признайся я в этом, ни одна певица, даже непрофессиональная, даже живущая, шутка ли, в самом Кингстоне, ни за что не одолжила бы мне и разбитой колымаги.

Шагал с сыном Давидом
в Хай-Фоллзе, 1947 г.

Шагал и Вирджиния в Хай-Фоллзе, 1948 г.

Ида, ее муж Франц Мейер и Шагал в Вансе, 1952 г.

Шагал произносит тост в честь Иды и Франца
на свадебном обеде в своей мастерской, 1952 г.

Шагал в гончарной мастерской в Валлорисе, 1952 г.

Шагал и Давид в Париже, 1954 г.

Шагал в гончарной мастерской в Валлорисе, 1952 г.

Шагал и Давид в Париже, 1954 г.

Давид, Шагал, Ида и ее дети, Париж, 1954 г.

Давид, 1956 г.

Наверное, отец выбрал больницу в Бронксе, в то время далеко не самом респектабельном, хотя вполне приличном квартале, потому, что она была под контролем бет-дина, раввинского суда, следящего, все ли делается согласно законам веры; в Святой земле ресторан, не получивший от него сертификат кошерности, будет вынужден закрыться — чем не рэкет! Запрет на свинину и раков-крабов — еще туда-сюда, до появления холодильников это можно понять, но все остальное — полная чушь.

Через несколько дней после моего долгожданного появления на свет мы переехали в Хай-Фоллз, где отец купил дом. Они с мамой искали тихий уголок не очень далеко от Нью-Йорка; в самом городе было слишком шумно, летом душно, зимой дымно — здания отапливались углем. Живописный Хай-Фоллз пленил отца, думаю, отчасти потому, что там было много берез, которые напоминали ему снежную Россию.

По приезде в Америку папа, к тому времени ставший знаменитостью, избежал унизительного «фильтрования» на Эллис-Айленде, которому подвергались все беженцы. Навер-

161

ное, в порту его с нетерпением ждали другие художники-эмигранты, но мне больше нравится представлять себе, что все было иначе... Он не увидел группки встречающих, подозвал такси, шофер оказался русским, это вполне вероятно, еще во времена моей молодости оставалось немало русских шоферов-аристократов, и понятно почему: работа шофера трудная и плохо оплачиваемая, на такие деньги соглашались идти только эмигранты, а из них только русские «белые», в прошлом знатные или богатые, умели водить машину, остальным, беднякам, привычнее было пахать на волах. Богатые очень скоро снова разбогатели, а знатные пошли в таксисты. Итак, отец садится в такси и спрашивает, где тут русский квартал, таксист везет его в Бруклин, он останавливается в русской гостинице и заводит друзей среди русских, которые каждый день читают русские газеты, попивая русский кофе в ожидании русского обеда в русском ресторане.

На самом деле он устроился на Риверсайд-Драйв и первым делом, готовясь к скорому возвращению, осведомился, как по-английски «до свидания», ему не терпелось сказать «гуд-бай» городу, который радушно его принял, но не пришелся по душе. Однако «гуд-бай» пришлось отложить надолго. Война с Германией затянется на пять лет, он потеряет Беллу, свое второе «я», найдет утешение в нежных объятиях моей матери, и они полюбят друг друга.

Когда же наконец пришел день возвращения в Европу, где слава его росла день ото дня, он, рассказывают, помахал на прощанье шляпой башням Нью-Йорка и долго стоял на корме, глядя, как они удаляются: гуд-бай!

И вот я еду из Вудстока в Хай-Фоллз по территории заповедника, вдоль берега огромного охраняемого озера, плавать в котором дозволяется только рыбам, даже птиц разгоняют, когда их становится слишком много, егеря строго следят за соблюдением правил: ни лодок, ни рыбалки, не уверен даже, можно ли там фотографировать. Через полчаса, отмахав миль тридцать, приезжаю на место. Мама говорила: «Повернешь направо в сторону Могаука, ошибиться невозможно — увидишь деревянный домик, выкрашенный в белый цвет и окруженный березами, может быть, на соседней ферме все те же хозяева, передавай им привет». Посе-

7*

лок точно такой, как она описала. Она думала, что все давно снесли и настроили бетонных домов, но все вроде целехонько, даже бензоколонка Робби Райана, которую я видел дома на фотографии: наше семейство гордо позирует перед новенькой машиной.

Перед школой мормонов-адвентистов-шестого-с-половиной-дня благотворительный базар, мельтешат прилизанные мальчики и девочки в длинных платьях; кажется, будто попал в позапрошлый век. Вот и стрелка на Могаук: «Ресторан, бассейн, панорама». Но, осмотревшись, замечаю, что все дома вокруг деревянные, все выкрашены в белый цвет и все окружены березами.

В окне одного из них вижу пожилую женщину, которая наливает на кухне чайник. Может, она жила тут и в сороковые годы? Я оставляю автомобиль у дороги и подхожу пешком, стараясь не испугать ее — в те времена деревенские жители шарахались от потертых джинсов и длинных волос, сегодня все наоборот: вас могут пристрелить со страху, если вы явитесь в приличном костюме. Перед застекленной дверью рама на петлях с москитной сеткой. Везет этим северянам: кроме фредериков, еще и черные кусачие мошки, которые грызут людей весь июнь и июль. Отодвигаю раму, стучу в дверь, хозяйка с опаской выглядывает в щелку, не снимая цепочки, я вежливо здороваюсь и спрашиваю, не знала ли она русского художника, который когда-то здесь жил. «Милый юноша, — отвечает она, — да у нас тут все художники и все русские...»

Я вернулся в «олдсмобиль» и объехал всю округу, растроганно глядя на каждый домик и думая, что один из них тот самый, мой.

Леже, Ханой
и идеальный музей

Насколько любил отец самого художника и его творчество, настолько ненавидел музей Леже и называл его бетонным монстром хрущевских времен; я не бывал там лет сорок, это одно из тех мест, которые навсегда отравлены для меня воспоминаниями о Мадам. Оба они, и Леже, и отец, в свое время были связаны с коммунистами, но каждый по-своему и в разных обстоятельствах. Леже, кажется, состоял в партии, то есть был коммунистом в демократической стране, отец же хоть и побывал народным комиссаром, но оставался демократом в коммунистической стране. Однажды Мадам повела меня в Оперу, еще со старым плафоном, смотреть не то «Жизель», не то «Лебединое озеро». Шли гастроли Большого театра, и руководство компартии, всегда старавшееся заманить отца, прислало нам приглашение. Это было как раз накануне того дня, когда лучший танцор труппы Нуриев совершил свой самый блестящий прыжок — через барьер в таможне аэропорта Орли, об этом все говорили; не успел я похвастаться в своем фашистски настроенном коллеже тем, что пожимал руку знаменитому артисту и тогда еще коммунисту, как он «выбрал свободу», хотя, откровенно говоря, это мало что изменило: хореография Нуриева была и осталась вполне традиционной.

Однажды в Ханое, в Национальном музее, я увидел целую стену репродукций художников разных стран, одни из которых назывались «товарищами», а другие — «попутчиками», отцовский «Портрет художника с семью пальцами» висел там рядом с рабочими Леже; верный член компартии, товарищ Леже, и обогнавший его «попутчик» снова очутились вместе, забавно, что пришлось так далеко ехать, чтобы увидеть эту встречу. Помню, когда заканчивалось строительство музея, мы приехали навестить его жену Надю, самую настоящую русскую. Она рассказала, что вынуждена продавать последние работы мужа, чтобы покрыть расходы, причем находила все новые и новые картины. Как раз в тот день, угощая нас неизменным борщом, она радовалась очередной находке, и мы все втроем: отец, Надя и я, десятилетний, — поднялись на чердак посмотреть на завалявшееся там полотно. Отец любил бывать в Бьо, ему нравилась Надя, она его всегда смешила, а в тот день особенно. Картина, в серых и желтых тонах, действительно была очень удачной. Надя дала нам полюбоваться ею, а потом пригласила вернуться за стол, я подошел слишком близко к холсту, и отец оттащил меня в сторону: «Осторожно, краска еще не высохла...» Со смерти Фернана прошло два года.

Что ж, после Леже оставалось устроить музей и для отца. Место для него выбрали в Ницце, неподалеку от музея Матисса, отцу пообещали, что и его именем, как только станет возможно — в честь живых такое не делается, — его именем тоже назовут улицу или даже проспект, в результате есть только маленькая площадь Шагала в Вансе, ну и хорошо. Музей получился превосходный, он называется «Библейское послание», и, хотя там регулярно устраивают разные выставки, люди приходят сюда именно ради «Послания». Между тем творчество отца поэтично, энциклопедично, комично, драматично, иногда эротично, и надо бы построить еще один, дополнительный, музей. Я вижу его где-нибудь между Сен-Полем и Вансом, очень простое, в его вкусе, здание, простое и белое, как наши «Холмы», со световыми колодцами, вроде тех, что устроил Сер для галереи Мэга, так чтобы при неяркой подсветке были хорошо видны картины, какие он выбрал бы сам, фейерверк всего пережитого.

Кухонный нож
и улыбка фавна

Мое последнее воспоминание о Мадам — статья в «Нис-Матен». На этот раз избежать ненавистного контакта с прессой ей не удалось: на ее глазах, в ее доме произошло кровавое преступление. После смерти Огюста и Розы она наняла русскую пару и, наверно, платила этим людям в рублях, если не в копейках. Как оказалось, супруга, у которой был любовник, потихоньку, по одной-две штучки в месяц, приворовывала гуашевые работы отца, десятки которых кипами лежали в мастерской. Не могла же хозяйка пересчитывать их каждый раз после того, как кто-нибудь из прислуги входил туда убраться. Любовник продавал добычу, таким образом они скопили кругленькую сумму и уже собирались смыться, но совсем забыли про обманутого мужа: в один прекрасный день тот напился вдребадан и зарезал жену здоровенным кухонным ножом. Однако Мадам, умевшая нагнать страху на кого угодно, утихомирила обезумевшего убийцу и отняла у него нож. Дальнейшие события я пересказываю так, как они мне представляются: прибывают по вызову полиция и фоторепортер из газеты, они заходят в кухню и застают Мадам в тоненькой ночной рубашке, она живо стягивает со стола скатерть и заворачивается в нее; фотограф запечатлевает ее с ножом в руке, обмотанную скатертью — из той же ткани, что и платье Идиной подруги. Вспышка!

Мое последнее воспоминание об отце — встреча на мосту через Любиану. Он шел по нему, направляясь на привычную прогулку, а я подвозил домой Даниель; прошло много лет после истории с каштаном, Даниель стала не такой красивой, и мне не хотелось, чтобы отец подумал, будто она — моя подружка, поэтому я поскорее отъехал, даже не выйдя поцеловать его... говорят, снобизм бывает преступным — это тот самый случай... я смотрел, как он идет по мосту — так Чарли Чаплин уходит вдаль в конце каждого фильма, — и в памяти у меня осталась его легкая улыбка фавна, которая, как улыбка кота из «Алисы в Стране чудес», остается после того, как он сам исчезает.

Марк Шагал
и «короткая книга» его сына

Имя Давид много значило для Шагала. Так звали его единственного, рано умершего брата и библейского царя и псалмопевца, к которому он питал особое пристрастие. Так назвал он и своего сына, с которым были связаны малоизвестные русским любителям искусства страницы жизни великого художника.

В 1941 году, благодаря поддержке американского консула в Марселе, Шагалу удается ускользнуть от петеновской полиции. Спасаясь от нацистов, он бежит вместе с семьей в Лиссабон, откуда отплывает в США. Начинается семилетний период жизни и творчества художника на американской земле. Спустя три года после приезда его постигает большое несчастье: неожиданно умирает Белла, любимая жена, муза, помощница и в полном смысле слова «второе я» мастера. В тот день, «когда Белла покинула этот свет, — скажет он в послесловии к книге, написанной его женой, — разразился гром, хлынул ливень. Все покрылось тьмой». С большим трудом — прежде всего благодаря неустанной творческой работе и прирожденному жизнелюбию — Шагал выбирается из тьмы. Немаловажную роль в его возвращении к жизни сыграла встреча с молодой художницей Вирджинией Хаггард-Мак-Нил.

Племянница известного английского писателя, Вирджиния родилась в Париже, в семье британского дипломата и канадской француженки. К большому неудовольствию своей чопорно-буржуазной семьи, она решила стать художницей и предпочла респектабельной среде богему Монпарнаса, где училась живописи в так называемых «свободных академиях». Во многом чтобы избавиться от давящей семейной опеки, Вирджиния выходит замуж за театрального художника ирландского происхождения Джона Мак-Нила и в 1939 году переезжает вместе с мужем в Нью-Йорк (ее отец получил там место консула), где у нее вскоре рождается дочь Джин. Брак оказался несчастливым. Чтобы прокормить семью, молодая женщина была вынуждена работать белошвейкой, и именно в этом качестве она впервые переступила в 1945 году порог нью-йоркской квартиры Шагала. А через некоторое время дочь художника Ида, собравшись на каникулы, попросила Вирджинию временно заменить ее в роли домохозяйки.

В книге «Моя жизнь с Шагалом»* (Лондон, 1986) Вирджиния рассказывает, как Шагал встре-

---

* Книга имеет подзаголовок, взятый из Библии и относящийся к разгаданному Иосифом сну Фараона: «Семь лет изобилия».

тил ее в своей мастерской, выходящей окнами на реку Гудзон, с улыбкой, которую она долго не могла забыть. (Спустя много лет ее сын закончит свою «слишком короткую книгу» также словами о шагаловской улыбке — «улыбке фавна».) «В его глазах, затуманенных печалью, — вспоминала Вирджиния, — казалось, мерцало пламя свечи, а волосы торчали пучками, как у клоуна».

Обаяние Шагала, его неиссякаемая творческая энергия, юмор, неподражаемые по своей выразительности рассказы о художниках и поэтах Парижа, магия его личности и его произведений — все это произвело большое впечатление на молодую женщину, в свою очередь очаровавшую маэстро. Их взаимная склонность, которую питали недавно пережитые несчастья, постепенно переросла в любовь, и в июне 1946 года появился на свет Давид. Его ранние годы прошли в деревушке Хай-Фоллз под Нью-Йорком, напоминавшей Шагалу русскую деревню. Здесь он пишет много новых картин и переделывает полотно 30-х годов «Революция», разделив его на три части и заменив фигуру Ленина на фигуру распятого Христа. Впервые осваивает технику цветной литографии и создает ослепительные по красоте иллюстрации к «Сказкам 1001 ночи». Особенно много сил уделяет работе над декорациями к поставленному Л. Мясиным балету «Жар-Птица» на музыку И. Стравинского (один из двух балетов, оформленных Шагалом в США). В творчестве мастера в это время появляются изображения Мадонны с младенцем и возлюбленной лирического героя, напоминающие высокую и светловолосую Вирджинию. Новая любовь художника во многом обуславливала и мажорное звучание декора «Жар-Птицы», и окрашенную лиризмом чувственность, которой были проникнуты мистические образы литографий к арабским сказкам. Однако почти во всех произведениях была запечатлена также память о Белле, остающейся неотъемлемой частью души художника. Она воскресает в образах еврейской невесты или устремляется в небо в обличье чудесной женщины-птицы...

В 1948 году Шагал возвращается вместе с Вирджинией и детьми во Францию. Некоторое время живет в Оржевале под Парижем, затем переселяется на Средиземноморье, в Ванс, по соседству с издателем Э. Териадом, который печатал в эти годы шагаловские офорты к Гоголю, Лафонтену и Библии. Частично для того, чтобы напитать новыми впечатлениями библейские образы, художник в 1951 году, после двадцатилетнего перерыва, посещает вместе со своей подругой Израиль. А еще через год Вирджиния покидает его. Ее уход, ставший сильным ударом для Шагала, был обусловлен не только новой любовью и различием ментальности англичанки, выросшей в католической семье, и русско-еврейского мастера со сложным и многогранным внутренним миром. Сама Вирджиния главную причину разрыва видела в том, что «попала в капкан роли, которую не могла играть», — роли жены получившего всемирную известность художника, которая требовала от нее активной публичной деятельности. Свое желание жить частной жизнью и склонность к сострадательной любви бывшая подруга Шагала реализовала в союзе с известным бельгийским фотографом (который неоднократно фотографировал художника и даже снял о нем фильм) Шарлем Лейренсом, человеком блестящим, но немолодым и нездоровым; большую часть их совместной жизни мать Давида проведет в уходе за тяжелобольным мужем...

После окончания начальной школы Давид учился в частном пансионе под Версалем, о котором рассказал в своей книге, а летом, во время каникул, периодически посещал отцовский дом в Вансе. Шагал хотел видеть сына архитектором, но Давид стал рок-музыкантом, играл на гитаре, сочинял и пел вместе с организованной им группой песни с фольклорной окраской в стиле его любимого американского певца Боба Дилана (позже он даст имя «Дилан» своему сыну). В середине 1970-х с ним встретился в Париже известный английский историк искусства и писатель Сидни Александр, автор талантливой книги о Шагале. Он пишет в этой книге, что Давид выглядел типичным калифорнийцем, высоким и белокурым, как мать, но с шагаловскими голубыми глазами. Отмечает также его одаренность и несколько ироничный склад ума и приводит много высказываний, в которых Давид рисует портрет своего великого отца и признается, что ощущает себя больше англичанином, чем евреем. По словам Александра, чувствовалось, что Давид влюблен в Шагала, восхищается им, но испытывает уязвленность и боль от своей, как ему казалось, отверженности.

В 70-е годы и какое-то время спустя он продолжал музыкальную карьеру, но постепенно его творческие интересы перемещаются в сферу литературы. К концу XX века он был уже автором трех романов и одной повести, вышедших, как и настоящая книга, в издательстве «Галлимар». Новое произведение писателя — нечто среднее между повестью и мемуарами. Миниатюрные новеллы, из которых оно состоит, не являются хронологически последовательным рассказом о днях, проведенных Давидом рядом с Шагалом, но лишь скреплены, подобно бусинам ожерелья, нитью общей темы. Единый поток воспоминаний организуется по законам художественной прозы, которая воссоздает сплошную ткань прошедшей жизни с ее красками и колоритными деталями, реальность порой смешивается с чем-то похожим на вымысел. Манера повествования Мак-Нила напоминает джазовые импровизации, в насыщенном юмором и ностальгией повествовании есть то сочетание остроты и лиризма, которое Сидни Александр находил в песнях молодого Давида.

Почти во всех рассказах, помимо Шагала, фигурирует вторая официальная жена художника — Валентина Григорьевна Бродская, или, как ее называли окружающие, Вава.

Уроженка Киева, она принадлежала к побочной ветви семьи знаменитого сахарозаводчика. Эмигрировала во время революции вместе с родителями в Европу, училась в Берлине, перед войной вышла замуж за англичанина, потом развелась, жила в Лондоне (где у нее был салон дамских шляп) и в Париже. Как и в случае с Вирджинией, новому знакомству Шагал был обязан своей дочери, пригласивший В. Бродскую к отцу в качестве секретаря. Исключительные деловые качества, ум и сильная воля Валентины Григорьевны в сочетании с ее красотой и женским обаянием способствовали созданию счастливого союза, который продлился более 30 лет, вплоть до кончины художника. В своей книге Вирджиния пишет, что почти сразу после заключения в 1952 году брака с Шагалом «Вава превратилась в его стража и защитницу, в хранительницу его произведений, в умного и изобретательного организатора его жизни». Все это, по ее словам, «восхищало Марка», который отдавал все свое время творчеству, будучи при этом неравнодушен к успеху. В характере Валентины Григорьевны были, однако, и отрицательные черты, проявлявшиеся, в частности, в ее стремлении отодвинуть от мужа многих близких ему людей, включая дочь. Естественно, с особым упорством добивалась она того, чтобы были стерты всякие следы пребывания в жизни Шагала ее непосредственной предшественницы. Так, в тысячестраничной монографии о художнике, написанной его зятем Ф. Мейером (1960) и переведенной на ряд европейских языков, мы не найдем даже упоминания о Вирджинии... Не стала Вава и доброй мачехой Давиду, хотя отношения их не всегда были однозначными.

Сразу после женитьбы Шагал оказался почти на два года разлученным с сыном, что стало для него, по свидетельству Вирджинии, «незаживающей раной». В дальнейшем отношения наладились. Марк и Вава принимали Давида в Вансе, ему было назначено регулярное денежное содержание. Шагал любил сына, старался уделять ему по возможности больше внимания и сыграл, как видно из повествования Давида, немалую роль в формировании его личности. В то же время художник, в искусстве которого всегда ощущалась связь с детством, боялся возмужания своего ребенка, как когда-то сам (о чем свидетельствует его автобиографическая книга «Моя жизнь») боялся взрослеть. «По мере того как я рос, — пишет Мак-Нил, — отец маленькими шажками от меня удалялся»... Кроме того, Давид-подросток порой вносил, по словам Вирджинии, «деструктивный элемент» в интенсивную и упорядоченную творческую жизнь отца, и тогда на сцене в роли охранительницы появлялась Вава...

Поскольку совместная жизнь его матери с Шагалом пришлась на раннее детство Давида, в книге сравнительно мало упоминаний о Вирджинии. Зато с первых страниц писатель воскрешает то откровенно враждебное чувство, которое он испытывал в детстве и юности к мачехе. Она предстает деятельной, нередко агрессивной и всецело принадлежащей повседневной жизни, — в то время как Шагал, как дух, проникает во все и парит над всем, подобно улыбке «чеширского кота».

В 50-е и 60-е годы, о которых по преимуществу вспоминает Давид, творческая деятельность как будто не собирающегося стареть художника поражала своим размахом. В его живопись вливаются образы, краски и свет Средиземноморья. Вслед за Пикассо он начинает заниматься керамикой. Вдохновленный цветными стеклами капеллы Розария в Вансе, оформленной Матиссом, мечтает о собственных витражах и в скором времени реализует эту мечту. Всегда стремившийся к художественному миссионерству, в поздний период Шагал воплощает свое «послание» к людям в монументальных живописных панно, в витражных окнах для многочисленных христианских храмов и синагоги в Иерусалиме, в мозаиках и гобеленах (в том числе, тех, что украсили израильский кнессет), в сотнях листов печатной графики. В 50-е и 60-е годы он работает для театра и иллюстрирует книги. Декорирует 14 холстами с персонажами опер и балетов великих композиторов, от Рамо до Дебюсси и Стравинского, плафон парижской Оперы (которую позже будут иногда называть его Сикстинской капеллой), а также интерьер Метрополитен-оперы в Нью-Йорке и театра во Франкфурте. Но особенно много времени художник уделял самому великому своему творению, начатому еще в 30-е годы, — грандиозному циклу выполненных в разных техниках произведений на тему Библии, частично собранных в специально построенном в Ницце и открытом в 1973 году музее под названием «Библейское Послание». Все это, естественно, не могло пройти мимо внимания Давида, который иногда присутствовал при работе отца. Однако, говоря о некоторых произведениях или эпизодах творческой биографии Шагала, писатель далеко не всегда точен. По собственному признанию, он не слишком интересовался живописью и свою книгу писал не о шагаловском искусстве, а о прошедшей жизни и — как сказано в подзаголовке — о немногих днях, которые ему «удалось провести с тем, кого все называли Мэтром», а он — «просто папой». Ценность его небольшого по объему произведения — в правдивом свидетельстве о самой личности художника во всем ее величии и жизненности, лишенной хрестоматийной «замыленности»; в воспроизведении некоторых слов, действий и черт Шагала, обогащающих наше представление о нем.

Так, Давид посвящает читателя в скрытую от посторонних глаз «кухню» отцовского творчества, запечатлев этапы его работы над картиной на тему цирка. Вспоминает, как Шагал объяснял ему открытия Эйнштейна, с которым его сближали новое понимание пространства и времени и воссоздание мельчайших «квантов» бытия. Рассказывает о запомнившихся на всю жизнь уроках, преподанных отцом в Лувре, и о том, как он умалчивал о Пикассо, Браке или де Стале, с большим талантом описывая близких ему по духу Сутина, Ван Гога, Модильяни или Утрилло. Сообщает о некоторых простонародных привычках Шагала, о том, как свободно чувствовал он себя в «рабочем кабачке» Парижа, посетители которого принимали его за простого маляра. Отмечает также сохранившуюся до старости невероятную жизненную энергию и физическую силу художника и одновременно — черты невесомости и эксцентричности в его духовном и внешнем облике, сближающие его с Чарли Чаплином (которого сам Шагал считал наиболее «конгениальным» себе в искусстве XX века). В первой новелле книги создан обаятельный образ художника-поэта, который расписывает камешки на пляже и бросает их в море на радость медузам, а в последней — Шагал уходит куда-то, как Чаплин из своих фильмов.

Мастер из Витебска часто ощущал себя, по его словам, «рожденным между небом и землей»; в молодости ему порой являлись ангелы, а в своих произведениях он нередко наделял посланцев неба собственными чертами. Своему сыну Шагал также видится ангелом, по чьим следам Давид движется в своей книге — даже когда просто бежит с каштаном в руке, спасаясь от оравы мальчишек...

Наталья Апчинская

Содержание

Музей для медуз 7

Итальянские каштаны 19

Nel blu di pinto di blu 31

Кувшины, каталонец и его внучка 41

Свадьба Иды, спартанцы
     и бельгийский фотограф 51

Эйнштейн, опунция, деревья и чертополох 61

Садовник, виноградник и урны
     из Тель-Авива 71

Урок живописи в Лувре 81

«Роллс», поэт, Гигит и гладиолусы 89

Плафон Оперы 99

Остров Сен-Луи, пульмановские вагоны
     и дешевые ресторанчики 109

Бомбы, раввин
     и нечистые сандвичи 117

Коллеж, «понтиак», Рембо и Бодлер 127

Иерусалимские витражи 139

Платье Идиной подруги 147

Дорога на Могаук 155

Леже, Ханой и идеальный музей 167

Кухонный нож и улыбка фавна 173

Наталья Апчинская. Марк Шагал
     и «короткая книга» его сына 177

Мак-Нил Д.

М15   По следам ангела / Давид Мак-Нил;
Пер. с фр. Н.Мавлевич. — М.: Текст,
2005. — 189 с.: ил.

ISBN 5-7516-0469-5

Воспоминания Давида Мак-Нила, сына знаменитого художника Марка Шагала, о днях, проведенных рядом с отцом. Мать Давида — художница
Вирджиния Хаггард-Мак-Нил сыграла немаловажную роль в жизни Шагала после смерти его жены
Беллы. Давид рассказывает об отцовском творчестве, об уроках, преподанных ему отцом в Лувре, о
некоторых простонародных привычках Шагала, отмечает сохранившуюся до старости невероятную
жизненную энергию и физическую силу художника и одновременно — черты невесомости и эксцентричности в его духовном и внешнем облике, сближающие его с Чарли Чаплином, которого сам
Шагал считал наиболее «конгениальным» себе в
искусстве XX века. На русском языке издается
впервые.

УДК 821.133.1
ББК 84(4Фра)

Давид Мак-Нил
ПО СЛЕДАМ АНГЕЛА

Редактор Ю.И.Зварич
Художественный редактор Т.О.Семенова

Лицензия ИД № 03308 от 20.11.2000
Подписано в печать 25.10.04. Формат 84 × 108/$_{32}$.
Усл. печ. л. 10,08 + 0,42 (вкл.). Уч.-изд. л. 4,59.
Тираж 3500 экз. Изд. № 547.
Заказ № 5301.

Издательство «Текст»
127299 Москва, ул. Космонавта Волкова, д. 7/1
Тел./факс: (095) 150-04-82
E-mail: textpubl@mtu-net.ru
http://www.mtu-net.ru/textpubl

Отпечатано в полном соответствии
с качеством предоставленных диапозитивов
в ОАО «Можайский полиграфический комбинат»
143200 г.Можайск, ул. Мира, 93

КНИГИ
ИЗДАТЕЛЬСТВА
«ТЕКСТ»

Оптовая и розничная торговля:
127299 Москва, ул. Космонавта Волкова, 7/1
Тел./факс: (095) 156-42-02

Торговый представитель в СПб.
ООО «Алан». Тел.: (812) 312-52-63

**В Москве книги «Текста»
можно купить в магазинах:**

Дом книги «Молодая гвардия»
Большая Полянка, 28

Московский дом книги
Новый Арбат, 8

Торговый дом «Библио-Глобус»
Мясницкая, 6

Торговый дом книги «Москва»
Тверская, 8

«Пушкинист»
Страстной бульвар, 4, подъезд 10

ООО «Фаланстер»
Большой Козихинский пер., 10

Книжный магазин «Русское зарубежье»
Нижняя Радищевская ул., 4